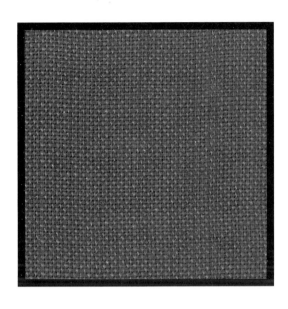

布と糸で描く
ファブリックアート
FABRIC AND NEEDLEWORK
ILLUSTRATION

Fabric and Needlework Illustration

English translation by Scott Brause
First Edition July 1994
ISBN4-7661-0796-9

Graphic-sha Publishing Co., Ltd. ©
1-9-12 Kudan-kita Chiyoda-ku Tokyo 102, Japan
Phone 03-3263-5297

Printed in Japan by Kinmei Printing Co., Ltd.

素晴らしい作品群に拍手を……

　現代の美術は、表現領域が素材の自由な撰択によって広がり、その手法もさまざまである。針と糸と布による本書の作品群は、古典的な手法による作品に比して、布による絵筆のようなタッチで、現代風な新しさを出している。本書に作品を出品された作家は、いずれも秀れた作家たちである。特に、私が嬉しく思うのは、この分野に男性作家が増えてきた事である。針と糸と布による美術分野の、更なる広がりと深まりを大いに期待している。

市川久美子 (美術家・文化女子大学教授)

A round of applause
for a wonderful collection...

The breadth of expression in modern art continues to expand as new materials are employed freely in a growing variety of ways. The works of this collection, fabric pictures created with needle and thread and cloth, show a modernistic freshness far beyond anything found in classical works. The artists who submitted their creations are clearly all of the first rank. What surprises me is the growing number of men working in this field. I greatly look forward to the further growth and development of the artistic field of the needle, thread and cloth.

KUMIKO ICHIKAWA
(Artist and Professor, Bunka Womans University)

目　次
CONTENTS

ブックデザイン
BOOK DESIGN

奥山有美
YUMI OKUYAMA
石引文絵
FUMIE ISHIBIKI

4

作品頁にある文章は作家によるコメントです。作品データの略号の意味は以下の通りです。
All works are accompanied by an artist's comment.
Each entry includes a title and data, according to the following form:

A. 制作年　　　　Year Produced
B. サイズ　　　　Original Size
C. 発表形態　　　Original Showing or Application
D. クライアント　Client
E. 使用素材　　　Materials

青木 和子
KAZUKO AOKI

私の刺しゅうには2つの傾向があり、1つは園芸の延長線上にある楽しみのためのもので、もう1つは自分の感性を表現するための刺しゅうです。刺しゅうは考えることであり、表現は自分を知ることです。ものをモチーフにすることで、その向う側にある人間の存在と時間を表わし、図地反転を用いた微妙な感覚のズレを意図したこのシリーズは、刺しゅうのテクスチュアを生かして、成功したと思います。

My needlepoint work takes two different directions. One is as a pleasurable extension of my gardening, the other as a means of expressing my feelings. Needlepoint is a way of thinking, and expression a way of learning about oneself. In this series I have set up a motif and then expressed the existence and time of the human element through a reverse stitching which has a slightly blurred effect, and it seems to me the series is a success.

1. 6月のハーブガーデン　　A.1991　B.1,020×1,630mm　C.展覧会「黄金の針」出品作品　E.麻糸、ウール糸による織りと刺しゅう

1. June's Herb Garden　　A.1991　B.1,020×1.630mm　C.Work for "Golden Needle" exhibition　E.Embroidery of linen & wool thread

1

2. 家族の肖像 F　　A.1990　B.350×450mm　C.展覧会出品作品
　　「アムウ」誌掲載　E.麻布、麻糸、チュールレース、25番刺しゅう糸、ミシン糸
3. 家族の肖像 M　　A.1990　B.330×400mm　C.展覧会出品作品
　　「アムウ」誌掲載　E.麻布、麻糸、チュールレース、25番刺しゅう糸、ミシン糸
4. 家族の肖像 S　　A.1988　B.330×380mm　C.展覧会出品作品
　　「アムウ」誌掲載　E.麻布、麻糸、チュールレース、25番刺しゅう糸、ミシン糸
5. 家族の肖像 D　　A.1989　B.330×400mm　C.展覧会出品作品
　　「アムウ」誌掲載　E.麻布、麻糸、チュールレース、25番刺しゅう糸、ミシン糸

2. Family Profile F　　A.1990　B.350×450mm
　C.Work for exhibition & magazine
　E.Linen, linen thread, net, No.25 embroidery thread

3. Family Profile M　　A.1990　B.330×400mm
　C.Work for exhibition & magazine
　E.Linen, linen thread, net, No.25 embroidery thread

4. Family Profile S　　A.1988　B.330×380mm
　C.Work for exhibition & magazine
　E.Linen, linen thread, net, No.25 embroidery thread

5. Family Profile D　　A.1989　B.330×400mm
　C.Work for exhibition & magazine
　E.Linen, linen thread, net, No.25 embroidery thread

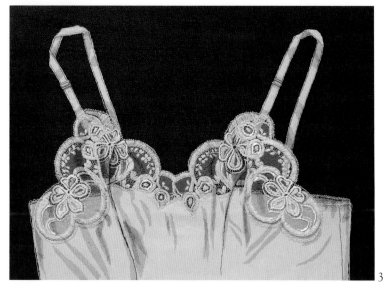

6

7

6.「モシモシ」　A.1989
B.280×400mm　C.展覧会出品作品
E.麻布、麻糸、レーヨン糸、
25番刺しゅう糸

7.「オハヨ」　A.1989
B.310×310mm　C.展覧会出品作品
E.麻布、ウール布(二重織り)、麻糸、
25番刺しゅう糸、チュールレース

6. Conversation "moshi-moshi"
A.1989 B.280×400mm
C.Work for exhibition
E.Linen, linen thread, rayon thread,
No.25 embroidery thread

7. Conversation "o-hayo" A.1989
B.310×310mm
C.Work for exhibition
E.Linen, wool (double-knit), linen
thread, net, No.25 embroidery thread

8

8. チェックonチェック　　A.1990　B.320×400㎜　C.展覧会出品作品　E.麻布、綿布、チュールレース、麻糸、25番刺しゅう糸
9. Husband　　A.1990　B.410×490㎜　C.展覧会出品作品　E.麻布、綿布、チュールレース、麻糸、25番刺しゅう糸
10. 秘密の花園　　A.1990　B.330×430㎜　C.展覧会出品作品　E.麻布、綿布、チュールレース、麻糸、25番刺しゅう糸
11. Mrs.Suzuki　　A.1990　B.320×430㎜　C.展覧会出品作品　E.麻布、綿布、チュールレース、麻糸、25番刺しゅう糸

9

8. Check on check   A.1990 B.320×400mm
C.Work for exhibition E.Linen, cotton, net,
linen thread, No.25 embroidery thread

9. Husband   A.1990 B.410×490mm
C.Work for exhibition E.Linen, cotton, net,
linen thread, No.25 embroidery thread

10. The Secret Flower Garden A.1990
B.330×430mm C.Work for exhibition
E.Linen, cotton, net, linen thread,
No.25 embroidery thread

11. Mrs. Suzuki   A.1990 B.320×430mm
C.Work for exhibition E.Linen, cotton, net,
linen thread, No.25 embroidery thread

10

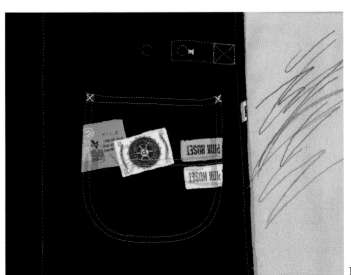

11

浦野 千鶴
CHIZURU URANO

クライアントの趣旨にそって構想を練ることもあるが、多くは作品の中から選択してもらう。

日常の生活のなかでの感動等の記憶、心のメモをもとに先ず紙上で構成をする。次に糸、布といった素材との対話の中で、織り、刺しゅう、アップリケ等の技法を選び、ファブリック・ピクチャーが生れる。

At times I develop an idea based upon the directions of a client, but often I just have a client pick out one of my existing works.

To begin with I make a drawing based on a particular memory or feeling in my heart. Then, in my interaction with the cloth, I use weaving, needlepoint, applique and other methods to bring out my fabric picture.

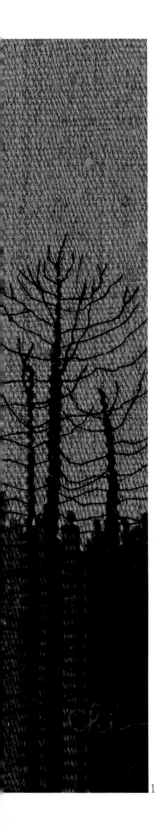

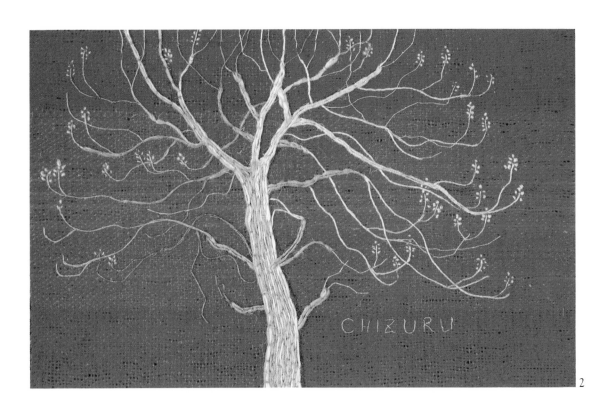

1. 緑の中に沈む太陽　　A.1993　B.285×380㎜　C.展覧会出品作品　E.麻糸、ウール、木綿糸
2. 大きな桐の木　　　A.1993　B.185×265㎜　C.展覧会出品作品　E.麻糸、木綿糸、絹糸

1. Sun Sinking Into Green　A.1993　B.285×380mm　C.Work for exhibition　E.Linen thread, wool, cotton thread
2. A Great Cypress　　　A.1993　B.185×265mm　C.Work for exhibition　E.Linen thread, cotton thread, silk thread

3

4

3. 青の世界　A.1993　B.230×275mm　C.展覧会出品作品
E.麻糸、木綿糸、ウール

4. さやえんどう　A.1991　B.320×230mm　C.展覧会出品作品
E.麻糸、木綿糸、ウール、絹布

5. リンゴ　A.1989　B.270×340mm　C.展覧会出品作品
E.麻糸、木綿糸、ウール

6. 窓辺　A.1993　B.280×360mm　C.展覧会出品作品
E.麻糸、木綿糸、ウール

3. Blue World　A.1993　B.230×275mm　C.Work for
exhibition　E.Linen thread, cotton thread, wool

4. Green Bean　A.1991　B.320×230mm　C.Work for
exhibition　E.Linen thread, cotton thread, wool, silk cloth

5. Apple　A.1989　B.270×340mm　C.Work for exhibition
E.Linen thread, cotton thread, wool

6. Windowsill　A.1993　B.280×360mm　C.Work for
exhibition　E.Linen and cotton thread, and wool

5

6

MARGARET CUSACK
マーガレット カサック

１．アート・ディレクターは、クリスマスを迎えた小さな村の休日の風景を郷愁を込めて描くことを求めていました。この作品は後にシリーズになったトート・バッグにも使われました。[技法上の特色] 空は染色し、地面にはエアブラシを吹き付けました。クライアントが付け加えた文字の部分は、ミシンでステッチをかけました。

２．この絵柄は、私がHBJ社のために挿絵を描いた「クリスマス・キャロル選集」という歌の本にある15のイラストレーションのうちの１番目のものです。この企画に関しては出版社の意向により、かなりの部分が私の裁量に任されました。絵柄は、どこにでもあるお宅のクリスマスの飾り付けをした居間をモデルにしています。この「オー・クリスマス・ツリー」は人気のある作品で、レコード・ジャケットやポスター、飾り皿、カタログの表紙、ホリディ・カードなどに幾度となく二次的に使用されています。[技法上の特色] 壁の部分はエアブラシを吹き付け、オーナメントは糊ではったり縫いつけたりしています。

1. The art director wanted a nostalgic holiday scene of a small village at Christmas. The artwork was later used on a series of tote bags. [Technical features] The sky was dyed and the land was airbrushed. The client supplied the lettering and I stitched it with my sewing machine.

2. This image was the first of fifteen illustrations that I created for "The Christmas Carol Sampler", a book of songs that I illustrated for HBJ. The publisher gave me a great deal of freedom on this project. The image was based on a neighbor's living room dressed up for the holidays. "O Christmas Tree" is everybody's favorite and it has since been used many times for second usage, including a record cover, poster, decorative plate, catalog cover and holiday card. [Technical features] The walls were airbrushed. The ornaments were glued and stitched in place.

1

2

1. HOLIDAY LANE   A.1987 B.28×22in.
    C.デパートのクリスマス用ポスター
    E.サテン、木綿、ブロケード、模造品、編地
2. O CHRISTMAS TREE   A.1983 B.20×16in.
    C.書籍のイラスト
    E.木綿、サテン、絹、宝石、ビーズの小さな金具
3. FULTON MALL BUS POSTER   A.1986
    B.16×72in. C.広告
    E.サテン、絹、木綿、ブロケード、模造品、レース、
    スナップ
4. JACK AND JILL   A.1986 B.21×16in.
    C.広告 E.アイーダ布、刺しゅう糸
5. USE IT UP   A.1991 B.17×14in.
    C.雑誌表紙 E.アイーダ布、刺しゅう糸
6. PEEK FREANS SHORTCAKE   A.1984
    B.20×16in. C.製菓会社の広告(4点のうちの1点)
    E.木綿、サテン、タフタ、ツィード
7. PEEK FREANS DIGESTIVES   A.1984
    B.24×21in. C.製菓会社の広告(4点のうちの1点)
    E.木綿、サテン、ガーゼ、レース飾り、ボタン、木材

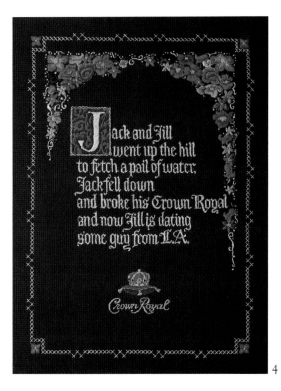

4. Jack and Jill   A.1986   B.16″×21″high   C.Advertising
   D.Seagram's   E.Aida fabric and embroidery thread

5. Use It Up   A.1991   B.14″×17″high
   C.Editorial   D.Yankee Magazine
   E.Aida fabric and embroidery thread

6. Peek Freans Shortcake   A.1984
   B.16″×20″high   C.One of four ads in a
   series created for a cookie company
   E.Cotton, satin, taffeta, tweed

7. Peek Freans Digestives   A.1984
   B.21″×24″high   C.One of four ads in a series created
   for a cookie company   D.Peek Freans Cookies
   E.Cotton, satin, gauze, lace trimming, buttons, wood

4

1. Holiday Lane   A.1987   B.22″×28″high
   C.Artwork for a poster for Macy's
   Department Store for the Christmas season
   D.Macy's   E.Satin, cotton, brocade,
   synthetics, knits

2. O Christmas Tree   A.1983
   B.16″×20″high   C.Book illustration
   D.Harcourt Brace Jovanovich   E.Cotton,
   satin, silk, small bits of jewelry and beads

3. Fulton Mall Bus Poster   A.1986
   B.72″×16″high   C.Advertising
   D.Fulton Mall Improvement Association
   E.Satin, silk, cotton, brocade, synthetics,
   lace, metal snaps

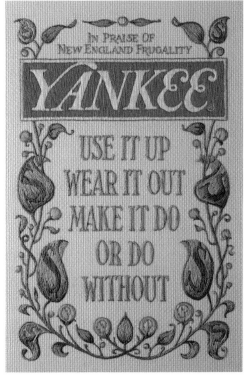

5

6

7

3

8

9

10

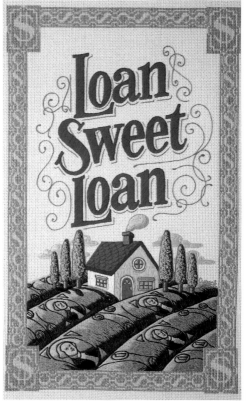

11

12

12. この作品を注文した広告会社は、インディアナ州のアメリカ的な魅力、つまり田園風景と州が観光客相手に催す祭りの両方を伝えるキルトのような絵柄を求めていました。私はさらに現代的な明るい雰囲気も持たせたいと思い、縁飾りを市松模様にして効果を上げています。表紙として完成した時点で一緒に合わされる文字やロゴもステッチしました。
［技法上の特色］空の部分は染色し、樹木は元の生地にプリントされている影の効果を高めるように色を付けました。前方の歩道と影の暗い部分は一本の絹のネクタイの表裏を使いました。

8. NIGHT TIME　　A.1989　B.14×20in.　C.広告　E.キャラコ、レース、サテン
9. HOUSE AND FAMILY　　A.1986　B.19×19in.
　　C.がん治療薬レクサノールの宣伝パンフレット　E.木綿、サテン、編地、レース、サテンコーデュロイ、テリークロス(両面に縄のあるパイル織物)
10. GOD BLESS THE USA　　A.1988　B.20×20in.
　　C.レコード、テープ、CDカバー　E.木綿、レース、編地、サテン、モヘア、ベルベット
11. LOAN SWEET LOAN　　A.1987　B.24×18in.　C.宣伝ポスター、雑誌広告
　　E.アイーダ布、刺しゅう糸
12. INDIANA CRAFTS FAIR　　A.1993　B.23×10in.　C.旅行案内表紙
　　E.サテン、木綿、絹、ブロケード、模造品

8. Night Time　　A.1989　B.20″×14″high　C.Advertising　D.Kwikset Locks
　　E.Calico cottons, laces, satin

9. House and Family　　A.1986　B.19″×19″high
　　C.Advertising brochure for Roxanol, a cancer care medicine
　　D.Deltakos Advertising for Roxane Labs
　　E.Cotton, satin, woven fabrics, laces, satin corduroy, terry cloth

10. God Bless the USA　　A.1988　B.20″×20″high　C.Record, tape and CD cover
　　D.Reader's Digest　E.Cotton, lace, woven fabrics, satin, mohair, velvet

11. Loan Sweet Loan　　A.1987　B.18″×24″high
　　C.Advertising poster and magazine ad
　　D.Earle Palmer Brown Advertising for Fannie Mae Loan Program
　　E.Aida fabric and embroidery floss

12. Indiana Crafts Fair　　A.1993　B.10″×23″high
　　C.For the cover of a tourist booklet　D.Indiana Tourist Board
　　E.Satin, cotton, silk, brocade, synthetics

12.　The adverising agency that commissioned this piece wanted a quilt-like image that would convey the Americana charm of Indiana both the countryside and the festivals that Indiana offers to tourists. I also wanted the piece to have a contemporary up-beat quality to it and the checkerboard border helps with this idea. I also stitched some lettering and their logo which will be assembled together for the finished piece.
［Technical features］The sky is dyed and the trees are painted to enhance the printed shaded effect of the original fabric. The sidewalk in the foreground and the darker shadows are from the front and back sides of a silk tie.

遠藤 玲子
REIKO ENDO

テンションの高さ。選ぶ目。切る技量。バランス。クールさ。
………。

どの世界も大切なことは通じていると痛切に感じる今日こ
のごろです。

The degree of tension. The care of selection. The skill of the cutting.

Balance. Restraint. …...

These are points that matter in every world, and things I am particularly concerned with these days.

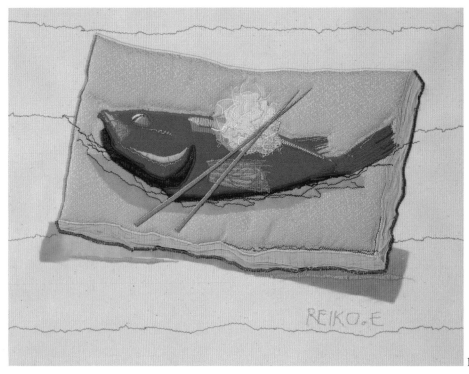

1

2

1. NICE DISH A　　A.1994
   B.410×410mm　C.習作
   E.帆布、和服地、
   オーガンジー、サテン、
   絹糸、金糸

2. NICE DISH B　　A.1994
   B.405×450mm　C.習作
   E.帆布、和服地、
   オーガンジー、サテン、
   絹糸、金糸

1. Nice Dish A　　A.1994
   B.410×410mm
   C.Practice piece
   E.Sail cloth, Japanese
   cloth, organdy, satin,
   silk and gold thread

2. Nice Dish B　　A.1994
   B.405×410mm
   C.Practice piece
   E.Sail cloth, Japanese
   cloth, organdy, satin,
   silk and gold thread

川口 てるこ
TERUKO KAWAGUCHI

複合布絵® は「布と糸と私の心」が統一された言葉です。作品の総ては下絵から縫い上がり迄の全行程を川口自身でやりとげるという作家の原点を守っています。個展はテーマを決めて開催しますが、各会場の作品は兼ね合わないように注意しています。高価な材料から良い作品が産まれるとは限らない。私は普通の市販の木綿布で複合布絵® 独得の画面を描き上げ「大切に・丁寧に」を心がけて一針ずつ手縫いをしています。

Integrated Fabric Art is my comprehensive term for the concept: "cloth, thread and my heart". My work includes everything from laying down the original pattern to sewing the finished design. My exhibits are based upon a theme, but I make a point to show a variety of unique works. Good works do not depend upon high cost materials. I use cloth which can be bought in stores to create Integrated Fabric Art, concentrating on each and every stitch with "care and dedication" as I develop the image.

1. 班鳩遊幽　　A.1991
   B.525×650㎜　C.個展用作品
   D.百貨店美術部
   E.木綿布、木綿糸

2. 日月交輪　　A.1989
   B.1.700×1.260㎜　C.個展用作品
   D.百貨店美術部
   E.木綿布、木綿糸

3. 紫から白へ——木蓮
   A.1990　B.1,700×1,260㎜
   C.個展用作品　D.百貨店美術部
   E.木綿布、木綿糸

1. The Ikaruga Pagoda Mystery
   A.1991　B.525×650mm
   C.Work for personal exhibit
   D.Department store art department
   E.Cotton cloth, cotton thread

2. Crossed Rings of Autumn
   A.1989　B.1,700×1.260mm
   C.Work for personal exhibit
   D.Department store art department
   E.Cotton cloth, cotton thread

3. From Purple to White-Magnolia
   A.1990　B.1,700×1,260mm
   C.Work for personal exhibit
   D.Department store art department
   E.Cotton cloth, cotton thread

ANNE COOK
アン クック

1．この本は病気の治癒や回復について書かれたもので、アート・ディレクターは希望に満ちた新しい日を迎える高揚した気分を伝えようとしていました。そこで、日の出の部分には特に反射する性質の生地を選びました。女の人の髪を飾る葉とバラの花は、（帽子の花のように）自由に動かせるよう、厚手の生地とちぎり細工の不織布ペロンの上に刺繍をした後に、ぴったりと取り付けました。女の人の部分は、サテン地と詰め物用の綿のシートで管状ビーズのような光の効果を出して引き立たせるために、手の込んだ仕上げになっています。この部分は①サテン②詰め物用の綿のシート③軽量厚紙の層を通して縫い込んでいます。

2．この作品を制作するにあたってのポイントは、化粧品の包装のような柔らかく女らしい印象のパッケージにすることでした。蝶の部分には薄くてほぐしやすい性質のシャリー地を使いました。まず紙に蝶を描いて、その紙の上に布を置き輪郭にミシンをかけて縁取りしました。それで生地の縁をきわだたせ、蝶が（バラの花も同様ですが）発泡芯の上に浮かぶように仕上げました。雲もまた、キルトの詰め物の小片の上に浮かべています。バラは花びら一枚一枚の位置を考えて構成し、重なり合った立体感を出しています。

3．アート・ディレクターの求めるところは、「サテンのようにすべすべした」脚でした。除毛製品のパッケージに使われることになっており、明らかに女性のマーケットを狙ったものです。腕と脚の部分は、重ね合わせた素材を絹糸を通したミシンで縁取りしながら縫い合わせています。その素材は①サテン（または類似の生地）②詰めもの用の綿のシート（彫刻のような質感を出すようにたっぷりと）③軽量厚紙、です。背景には様々な生地を重ね合わせ、境界面や断ち目や層になったところに融合させています。

1. Woman & Sunrise   A.1989
C.書籍表紙　E.はぎれ、レース、
芯、綿、金属糸、帽子用造花、
軽量厚紙

2. Rose and Butterfly Landscape
A.1992　B.24×20in.
C.パッケージ　E.はぎれ、接着芯、
帽子用造花、糸、マーカー、
色鉛筆、ウレタンフォーム芯

3. Legs with Hand and Feather
A.1989　B.20×17in.
C.パッケージ　E.はぎれ、レース、
綿、軽量厚紙、糸、芯、羽根

1.   The book was about healing and recovery — The art director wanted to convey an uplifting feeling, of a new day of hope. I chose the sunrise fabric especially for its reflective nature. The leaves in the woman's hair and her rose are embroidered on heavy fabric and Tear-Away Craft Pellon and then trimmed close so that they could be moved freely (like the miliners flowers). The execution of the woman was tricky because I wanted the lug blights created by the satin and the batting to be flattering. She is stitched through these layers (1) satin, (2) batting, (3)lightweight cardboard.

2.   The point in creating this art was to give the packaging a soft feminine look — also to make it look like a cosmetic package. The butterflies were a challenge to create because the fabric was so thin and raveled easily. I drew the butterfly on paper and then lay my fabric on the drawing — I then machine stitched the outlines. This gave the fabric a clean edge — The butterflies are floating on pieces of foamcore (as are the roses). The clouds are floating on bits of quilt batting. The roses were constructed petal by petal to give them a layered and dimensional feel.

3.   The art director wanted "satin smooth" legs. This art work was to be used on the package of a product that removed hair. Obviously with the appeal to a feminine market. The arm and legs are created by sewing these layers together (with silk thread-machine stitched edges). The layers are (1) satin (or similar fabric), (2) batting (enough to give a sculptural quality to the elements) (3) lightweight cardboard. The background layers are various fabrics fused to an interface and the cut and layered.

1. Woman & Sunrise   A.1989
C.Paperback book cover   D.Ballantyne Books
E.Misc.fabrics, lace, interfacing, batting, metallic threads, miliners flowers, lightweight cardboard

2. Rose and Butterfly Landscape   A.1992   B.20″×24″high
C.Packaging (A box top for a vitamin package)   D.Sunriser
E.Misc.fabrics, fusible fabric interfacing, miliners flowers and thread, markers and colored pencil, foamcore

3. Legs with Hand and Feather   A.1989   B.17″×20″high
C.Packaging   D.Emjoi   E.Misc.fabrics, lace, batting, lightweight cardboard, thread, interfacing, feathers

4. Weight Watchers Cook Book Cover　　A.1992　B.18×14in.　C.書籍表紙　E.アイーダクロス、モスリン、刺しゅう用かま糸、水彩絵具、色鉛筆
5.6.　Fruit and Vegetable Series　　A.1985　B.10×8in.　C.グリーティングカード　E.モスリン、綿布、水彩絵具、染色絵具、刺しゅう糸、アイロンプリント
7.　Herb and Spice Tin　　A.1992　B.14×11in.　C.ギフト用缶　E.モスリン、水彩絵具、刺しゅう糸、色鉛筆

4. Weight Watchers Cook Book Cover   A.1992   B.14″×18″high
   C.Publishing   D.Weight Watchers   E.Aida cloth, muslin,
   embroidery floss, watercolors, colored pencil

5.6.   Fruit and Vegetable Series   A.1985   B.8″×10″high
   C.Greeting cards   D.C.R Gibson   E.Muslin, cottonsheets,
   watercolors, fabric paints, embroidery thread, heat transfer

7. Herb and Spice Tin   A.1992   B.11″×14″high
   C.Gift Tin   D.Supply America
   E.Muslin, watercolor, embroidery floss, colored pencil

6

5

７．この作品は、特殊な缶のサイズに仕上げるよう注文がありました。文字通り、型板に張り付いて仕事をしました。型をとるたびに生地が伸びたり縮んだりするので、非常に難しい作業だったのです。大変分厚くて溶けやすい見返し芯を使って、モスリン地を固定させました。それぞれの植物の質の違いを際立たせるように、様々な刺繍を組み合わせた点が特に気に入っています。青い縁飾りと模様もすべて刺繍です。

7.   I was commissioned to create this art for a specific tin size. I had to stay exactly to their template which is quite difficult because fabric stretches and shrinks when it is worked. I used a very heavy fusible interfacing to stabalize the muslin. I especially liked incorporating different embroidery stitches to define the different elements of the plants. The blue border and type is also all embroidered.

くまざわ のりこ
NORIKO KUMAZAWA

暮らしていく中で、なるべくたくさん楽しく、幸せに自分らしくいたいし、わたしの出逢って来た人、これから出逢う人、なるべくたくさんの人にもそうであってほしいと思います。その中の楽しいこと、心なごむ時のお手伝いが、作品を見てもらうことで少しはできるのじゃないかと思い、制作をしています。紙に糊をつけ、色とりどりの糸をはり、図柄ができたら、その上に接着芯をひとまわり大きく切り、コテで押えるようにはります。

It is important to me that my life be full of enjoyments and happiness, that I live it my way and that the people I have met and will meet also enjoy their lives in this way. As I work it is my hope that the images I create will be looked at and have the effect helping people to slow down and relax. I spread glue over cloth, and lay down various colored thread, and when the design is finished, I lay it over a larger piece and fix it with an iron.

1

1. Lots and lots of wishes... 　A.1990　B.210×210㎜　C.パッケージ用作品　D.モロゾフ　E.綿糸、金糸、接着芯
2. Heart grove　　A.1989　B.296×210㎜　C.ポストカード　E.綿糸、金糸、接着芯
3. Leaf circle　　A.1990　B.222×150㎜　C.ポストカード　E.綿糸、接着芯
4. Tulips　　A.1990　B.205×450㎜　C.エッセイ・イラスト　D.サリダ　E.綿糸、接着芯

1. Lots and Lots of Wishes　　A.1990　B.210×210㎜　C.Package design　D.Morozoff　E.Cotton thread, gold thread, starch cloth
2. Heart grove　　A.1989　B.296×210㎜　C.Postcard　E.Cotton thread, gold thread, starch cloth
3. Leaf Circle　　A.1990　B.222×150㎜　C.Postcard　E.Cotton thread, starch cloth
4. Tulips　　A.1990　B.205×450㎜　C.Essay illustration　D.Salida (magazine)　E.Cotton thread, starch cloth

2

3

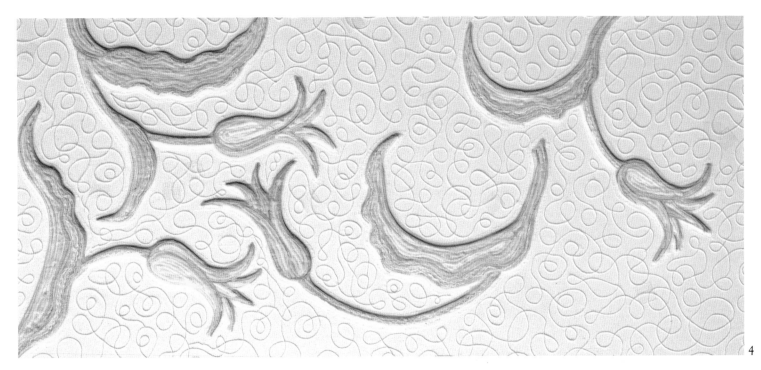

4

ΤΗΑΡΟΣ

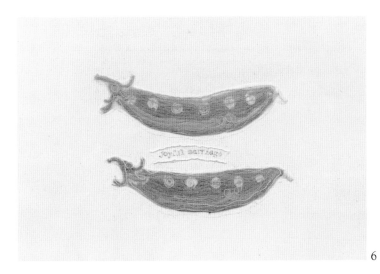

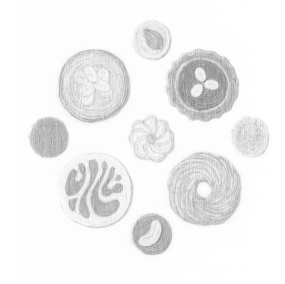

5. TEA POT　　A.1992　B.363×257㎜
　　C.ポストカード　E.綿糸、金糸、接着芯

6. Joyful marriage　　A.1988　B.106×150㎜
　　C.ポストカード　E.綿糸、接着芯

7. Extensible　　A.1993　B.160×220㎜
　　C.オリジナル　E.綿糸、金糸、接着芯

8. Cookie　　A.1991　B.273×240㎜
　　C.個展用作品　E.綿糸、金糸、接着芯

9. FRUITS UNIVERSE　　A.1987　B.165×250㎜
　　C.CDジャケット・イラスト　D.エピック・ソニー・レコード
　　E.綿糸、接着芯

6

8

7

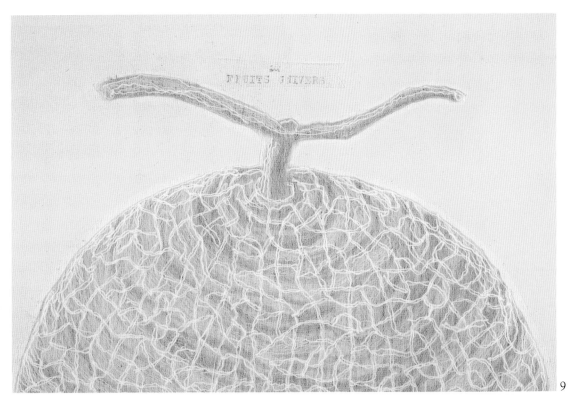

5. Teapot　　A.1992　B.363×257mm
　　C.Postcard　E.Cotton thread, gold
　　thread, starch cloth

6. Joyful Marriage　　A.1988
　　B.106×150mm　C.Postcard
　　E.Cotton thread, starch cloth

7. Extensible　　A.1993　B.160×220mm
　　C.Original work　E.Cotton thread,
　　gold thread, starch cloth

8. Cookie　　A.1991　B.273×240mm
　　C.Work for exhibit　E.Cotton thread,
　　gold thread, starch cloth

9. Fruits Universe　　A.1987
　　B.165×250mm　C.CD jacket
　　lillustration　D.Epic Sony Records
　　E.Cotton thread, starch cloth

9

倉石 泰子
YASUKO KURAISHI

人の手と、布と、糸のハーモニーから生まれる、パッチワーク・キルト、それに心からのエッセンスも加わって、そのデザインや作品への可能性は無限といえそうです。そんなハーモニーを大切にしながら、布と糸の可能性を、自分達の暮らしの中にどんな風に生かしてゆけるかを、常に考えながら制作をしています。

The harmony of the human hand, cloth and thread is the creative force in the creation of patchwork quilts, but it is the heart which takes such a work into the limitless realm of artistic expression. Maintaining this harmony while at the same time discovering how to use the experiences of my day to day life forms the basis of my work.

1

1. サンプラーズ イン ブルー　　A.1992　B.1,460×1,100mm
　C.展覧会用パターン紹介作品　E.綿布、キルト綿
　（ミシンピーシング、ミシンキルティング）

2. フラジル フラワー　　A.1989　B.1,040×1,100mm　C.展覧会用パターン紹介作品
　E.綿布（ミシンピーシング、ミシンキルティング）

1. Samplers in Blue　　A.1992　B.1,460×1,100mm　C.Introductory work for show
　E.Cotton cloth, quilt cotton (machine piecing and quilting)

2. Fragile Flower　　A.1989　B.1,040×1,100mm　C.Introductory work for show
　E.Cotton cloth (machine piecing and quilting)

2

栗村 一予
KAZUYO KURIMURA

風をモチーフに、抽象の作品をまとめている。常に様々な風のパフォーマンスを観察し、風との対話を楽しみながら、エスキースをまとめ、細部にまで丁寧に構成してゆく。それは交響曲の作曲に似ていて、楽器である糸束が、素晴らしい演奏をしてくれることを願っている。

クライアントの希望によっては、糸の種類、色、テクニックをセレクトし、別の演奏方法をとれば良い。大切なのはどんな風を、作品にまとめられるかだと思う。

I am now creating abstract works based on the motif of "wind". So far I have created quite a few scenes which show phenomena relating to the wind. In my interactions with these works I sew with as much care as possible, devoting attention to each detail. In this way the work begins to resemble a musical composition, and every thread an instrument with a solo performance.

I select types of thread, colors and techniques based upon the wishes of my clients, but my major concern is always with the wind, and the part it will play in the work.

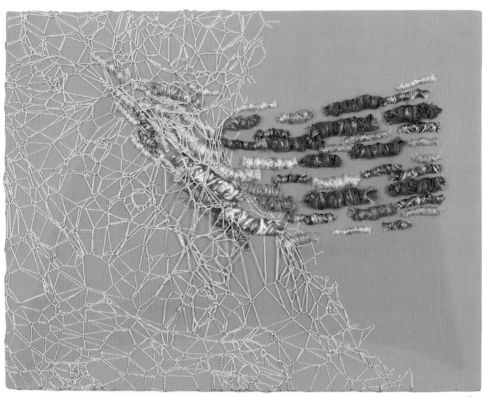

2

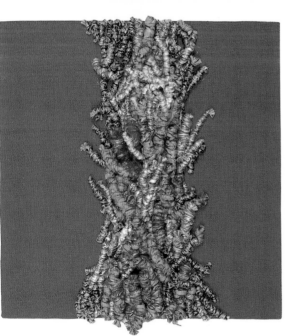

3

5

1. 夢の中の風　A.1993　B.440×440mm　C.個展用作品
E.麻布に発泡スチロール・紙・布片、レーヨン・麻・
木綿・ラフィア・絹・ウール素材の糸

2. 糸のエスキース　風　A.1993　B.300×387mm
C.個展用作品　E.木綿布にレーヨン・木綿・
ウール素材の糸、メタリック金・銀糸

3. 小さな風　A.1993　B.260×240mm　C.個展用作品
E.麻布に木綿・ラフィア・ウール・絹・
レーヨン糸、種々の糸をワイヤーに巻きつけて使用

4. 小さな島で見つけた風　A.1993　B.530×395mm
C.個展用作品　E.木綿布を土台にしたボード上に
麻地をグランドに、多種の糸のコラージュ。
糸はラフィア・レーヨン・綿・麻

5. '93 風 その色と形　A.1993　B.530×395mm
C.個展用作品　E.シーチングを貼ったボードを土台
にして、麻地のグランドに多種類の糸使いと木綿布の
パッチワークをコラージュ。
糸はラフィア・木綿・レーヨン・ウール・絹

1. Dream Wind　A.1993　B.440×440mm　C.Personal exhibit
work　E.Styrofoam, paper and cloth fragments; and rayon,
linen, cotton, silk and wool thread.

2. Net of Thread "The Wind"　A.1993　B.300×387mm
C.Personal exhibit work　E.Cotton, wool and rayon materials
on rayon cloth, metallic gold and silver thread.

3. Zephyr　A.1993　B.260×240mm　C.Personal exhibit work
E.Cotton thread on rayon cloth, wool, silk, rayon thread,
various threads wound on wire.

4. Wind Found on a Little Island　A.1993　B.530×395mm
C.Personal exhibit work　E.Rayon background, wool, silk,
linen and various threads in collage.

5. Shape and Color of the Wind '93　A.1993　B.530×395mm
C.Personal exhibit work　E.Board with glued stitching, linen
background, various threads, rayon patchwork in collage.
Threads of cotton, rayon, wool and silk.

さか井 みゆき
MIYUKI SAKAI

たとえば、Tシャツにジーンズ。素足にスニーカーで自転車にのるようなラフな絵。いたずら描きみたいに、やんちゃでのびのびしていて、はみだしても全然気にしないっていうような絵。

フランス刺繍の優雅さも日本刺繍の緻密さもないけれど、コットンの風合いがさらりと心地よく、ミシンの繊細なステッチがたまらなくいじらしい、そんな絵を気持ちよい暮らしの中で描いてゆきたいとおもいます。

I'm playful in my work, not too serious. I might want to make a picture of someone riding a bicycle, wearing a T-shirt and jeans, with sneakers but no socks. I don't worry about making everything fit perfectly; if there's overlapping, it's OK.

My works don't have the elegance of French needlepoint, or the delicacy of Japanese shishu, but the cotton fabric I use is warm, and the patterns I make are friendlier than anything that comes off a sewing machine. I just want to live happily and continue to create these kinds of image.

1

1. Stuffing Mix
   A.1988　B.430×350mm
   C.個展用オリジナル　E.綿、ミシン糸

2. Breakfast
   A.1991　B.180×270mm
   C.DM用オリジナル　E.綿、ミシン糸

3. Tea with Lemon
   A.1988　B.430×350mm
   C.個展用オリジナル　E.綿、ミシン糸

4. Strawberry Cake
   A.1988　B.430×350mm
   C.個展用オリジナル　E.綿、ミシン糸

1. Stuffing Mix　A.1988
   B.430×350mm
   C.Original for individual exhibit
   E.Cotton and machine thread

2. Breakfast　A.1991
   B.180×270mm　C.Original for DM
   E.Cotton and machine thread

3. Tea with Lemon　A.1988
   B.430×350mm
   C.Original for individual exhibit
   E.Cotton and machine thread

4. Strawberry Cake　A.1988
   B.430×350mm
   C.Original for individual exhibit
   E.Cotton and machine thread

2

3

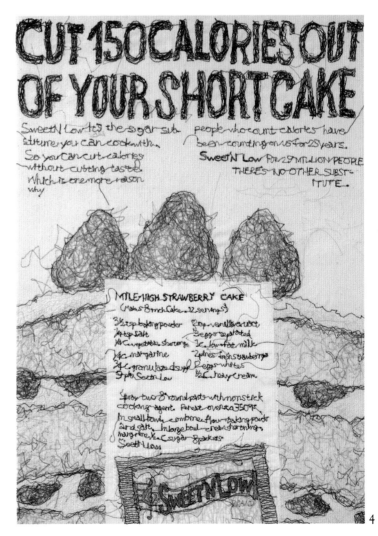

4

Luxury?
It would have to be the freedom
to take a vacation
when you want.

5. Yellow   A.1992   B.370×280mm   C.個展用オリジナル   E.綿、ミシン糸
6. Harvest   A.1992   B.370×280mm   C.個展用オリジナル   E.綿、ミシン糸

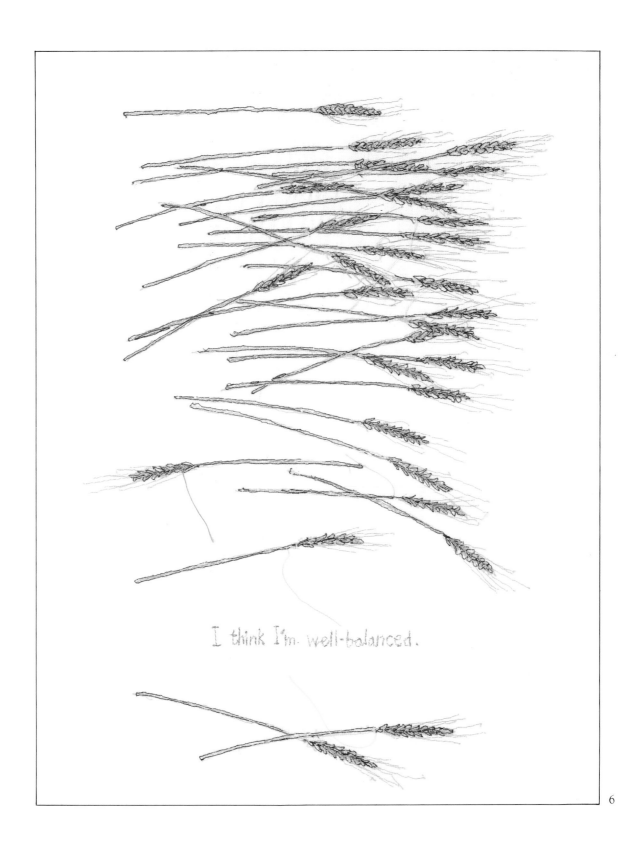

I think I'm well-balanced.

6

5. Yellow   A.1992   B.370×280mm   C.Original for individual exhibit   E.Cotton and machine thread

6. Harvest   A.1992   B.370×280mm   C.Original for individual exhibit   E.Cotton and machine thread

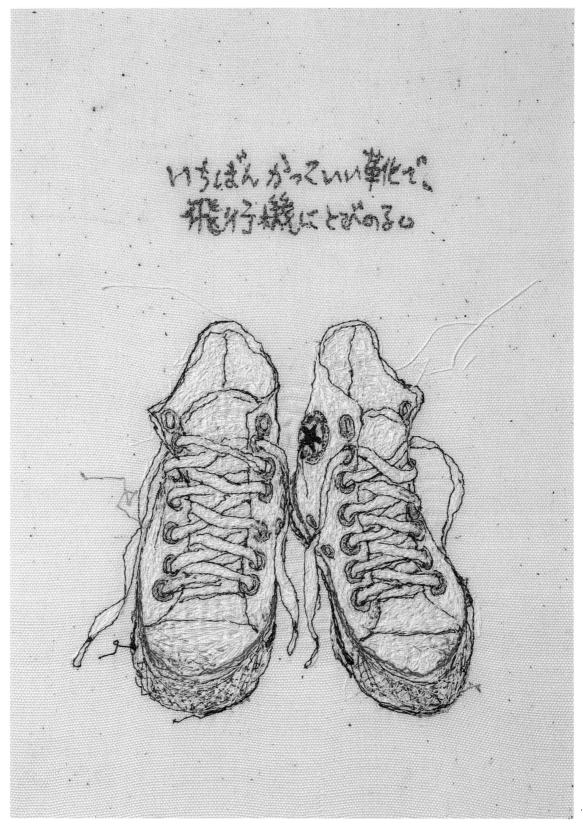

いちばん かっくいい 靴で。
飛行機に とびのる。

今日、あたらしいの、
開けよう。

Peace の煙、HOPE の香り。

7. Shoes　　A.1993　B.200×140mm
　　C.DM用オリジナル　E.綿、ミシン糸

8. Peanut Butter　A.1992　B.140×200mm
　　C.DM用オリジナル　E.綿、ミシン糸

9. Tabacco　　A.1991　B.200×140mm
　　C.DM用オリジナル　E.綿、ミシン糸

7. Shoes　　A.1993　B.200×140mm
　　C.Original for DM　E.Cotton and machine thread

8. Peanut Butter　　A.1992　B.140×200mm
　　C.Original for DM　E.Cotton and machine thread

9. Tobacco　　A.1991　B.200×140mm
　　C.Original for DM　E.Cotton and machine thread

桜井 一恵
KAZUE SAKURAI

身近かにある、あらゆる布と糸を素材とし、それぞれの質感や色を、刺しゅうのステッチの様々な表情と組み合わせて、制作しています。暖かでやわらかな感じの布、透けたうすい布、織り目が模様になっているのやプリント地等、多くのニュアンスを布から得る事が出来ます。私は風景をモチィーフにする事が多いのですが、画面の中に色々な素材を無理なく自然に、溶け込ませる様に気を付けています。

I do needlework with whatever thread and fabric I have at hand, creating various textures and colors with my stitching. Using a variety of fabrics - warm and soft, thin and translucent, rough woven, printed - you can get many different nuances. My motif is usually a scene from nature, but what I concentrate on is blending the materials in a natural, unforced way.

1

1. 草むらに影を落として   A.1993 B.210×330mm C.個展用 E.麻布、麻織糸、刺しゅう糸
2. 秋 風踊る   A.1992 B.190×270mm C.個展用 E.麻布、麻織糸、極細モヘヤ手編糸
3. 風のほほえみ   A.1992 B.180×285mm C.個展用 E.麻布、麻織糸、極細モヘヤ手編糸
4. 草原の6月   A.1993 B.140×220mm C.個展用 E.麻布、絹・木綿・ウールプリント、化繊、麻織・刺しゅう・ミシン糸

2

1. Grass Shadows   A.1993 B.210×330mm
   C.Individual exhibit
   E.Jute yarn, linen, needlework threads

2. Autumn Wind Dance   A.1992 B.190×270mm
   C.Individual exhibit
   E.Hemp thread, linen cloth, fine mohair yarns

3. Wind Smile   A.1992 B.180×285mm
   C.Individual exhibit
   E.Line, jute thread, fine mohair yarns

4. June Field   A.1993 B.140×220mm
   C.Individual Exhibit E.Linen, silk, rayon,
   wool print, polyester, needlework thread

3

4

5. 秋色の風　　A.1993　B.135×190mm　C.個展用
　　E.タイシルク、綿プリント、化繊布、麻織糸、ハブ・カタン・刺しゅう糸
6. ベルゲンの家 青い扉　　A.1993　B.165×208mm　C.個展用
　　E.麻布、綿デニム、タイシルク、綿プリント、カーテン用レース地、手編用変わり・麻織・カタン糸
7. 墨色の風景　　A.1993　B.110×150mm　C.個展用　E.麻布、木綿にじみ柄服地、化繊布、麻織・刺しゅう糸

5. Autumn-Colored Wind　　A.1993　B.135×190mm　C.Individual exhibit
　　E.Thai silk, cotton print, polyester, jute thread, needlework thread

6. House of Bergen　　A.1993　B.165×208mm　C.Individual exhibit
　　E.Linen, cotton denim, Thai Silk, cotton print, curtain lace, knitting, jute curtain yarn

7. Scene in India Ink　　A.1993　B.110×150mm　C.Individual exhibit
　　E.Linen, blended rayon, polyester, jute, flax, needlework thread

6

7

澤村 眞理子
MARIKO SAWAMURA

作品を作る時には、始めにクライアントから欲しい作品のイメージ等を聞いてラフスケッチを描きます。何よりも自分の中でのテーマに対するイメージの広がりを大切にしています。布の持つあたたかさ、織りの陰影、プリント柄の面白さをどのように生かすか、布や糸の色の発色にも気を使います。又、意外性のある素材、針金、木、紙、ボタンなども組み合わせて、作品がどんどん進化してゆくのを楽しんでもいます。

In order to make a piece I first listen to the wishes of the client, then make a rough sketch. What is most important to me is to develop the image of the theme I am pursuing. I also think about the warmth of the fabric, the texture of the weave, the way I might bring out the feeling of the print, and the coloring I will create with the thread and fabric. Sometimes I use materials that aren't typical - wire, wood, paper, buttons - and in this way my works evolve in enjoyable ways.

1

1. 婚礼の朝　　A.1987　B.670×530mm　C.カレンダー　D.ジャノメミシン
　　E.サテン、レース、コットンオーガンジー、キャンブリック、シルクリボン、エンブロイダーNo.5、ミシン用シルク糸

2. ジューン ブライド　　A.1987　B.370×280mm　C.化粧品冊子　D.フルベール化粧品
　　E.アセテートサテン、ブロード、シルクオーガンジー、エンブロイダー・ミシン用シルク糸

1. Wedding Day　　A.1987　B.670×530mm　C.Calendar　D.Janome Sewing Machine
　　E.Embroidery No.5, sewing machine silk thread, satin, lace, cotton organdy, cambric, silk ribbon

2. June Bride　　A.1987　B.370×280mm　C.Pamphlet cover
　　E. Silk organdy, sewing machine silk thread, acetate satin, broad cloth, embroidery thread

2

3. 屋根裏の窓　　A.1988　B.670×530mm　C.カレンダー　D.ジャノメミシン
　　E.コットンプリント、ブロード、ネル、シルクオーガンジー、シーチング、ミシン用シルク糸、アクリル絵具
4. 窓からの風　　A.1989　B.670×530mm　C.カレンダー　D.ジャノメミシン
　　E.コットンプリント、ブロード、シルクオーガンジー、キャンブリック、ミシン用シルク糸、アクリル絵具

4

3. Rooftop Window   A.1988 B.670×530mm C.Calendar D.Janome Sewing Machine
   E.Cotton print, broad cloth, nelle, silk organdy, sewing machine silk thread, acrylic paints

4. Wind from a Window   A.1989 B.670×530mm C.Calendar D.Janome Sewing Machine
   E. Cotton print, cambric, silk organdy, sewing machine silk thread, acrylic paints

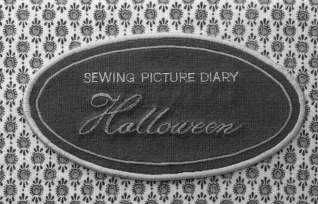

5

6

5. ハロウィーン　　A.1987　B.360×270㎜　C.雑誌、カレンダー　D.文化出版局
　　E.別珍、コットンプリント、シルクオーガンジー、シーチング、ボイル、ミシン用シルク糸

6. ドールハウスとテディベア　　A.1988　B.370×280㎜　C.住宅メンテナンスブック HOW表紙
　　D.リクルートコスモス　E.コットンプリント、ブロード、アセテートサテン、
　　シルクオーガンジー、ミシン用シルク糸

5. Halloween　　A.1987　B.360×270mm　C.Magazine and Calendar
　　E. Silk organdy, cotton print, sewing machine silk thread

6. Doll House & Teddy Bear　　A.1988　B.370×280mm　C.Housing maintenance guidebook cover
　　E.Cotton print, broad cloth, acetate satin, silk organdy, sewing machine silk thread

澁谷 正房
MASAFUSA SHIBUYA

いつもいつも "私の大好きな世界" を描こうと思っています。それは、人、人の創造物、地球、星、宇宙、生きとし生けるもの全てと "私との対話" です。そこには、光、風、影が乱舞し、透明な空気とふんだんな色彩に満ちています。サテン布地、古代裂、光る布地、絹糸、金銀糸などがそのシチュエーションを描くには、うってつけの絵の具です。これからも "私の大好きな世界" に、ますますおぼれていきそうです。

I always, always want to create things in "the world that I love." This is nothing less than the dialogue I carry on with living things, be they people, the creations of people, the earth, the stars or space. Here I see light, wind and shadow, transparent space full of colors. The materials I use to create these images include satin, strips of old cloth, flashy materials, and silk and gold/silver threads, depending on the situation. I think I will continue to sink ever deeper into this "world that I love."

1. 矢の根　A.1986　B.800×800mm　C.雑誌広告　D.上野松坂屋　E.古代裂、サテン、オーガンジー、絹糸、金糸、銀糸、ラメ糸

1. Arrowroot　A.1986　B.800×800mm　C.Magazine Ad　E.Old textiles, satin, organdy, silk thread, gold thread, silver thread, lame thread

2

4

3

5

2.3. A HAPPY NEW YEAR
　　A.1993　B.210×210mm　C.習作 銀座松屋にて発表
　　E.古代裂、サテン、オーガンジー、絹糸、金糸、銀糸

4. かわいいお鍋　　A.1993　B.250×200mm
　　C.雑誌カット　D.集英社TANTO
　　E.古代裂、サテン、オーガンジー、絹糸

5. 幸せごはん　　A.1993　B.230×300mm
　　C.雑誌カット　D.集英社TANTO
　　E.古代裂、サテン、絹糸

2,3. A Happy New Year　　A.1993　B.210×210mm　C.Practice piece shown at Ginza Matsuya
　　E.Old textiles, satin, organdy, silk thread, gold thread, silver thread

4. A pot of joy　　A.1993　B.250×200mm　C.Magazine cut　E.Old textiles, satin, silk thread

5. Happy Meal　　A.1993　B.230×300mm　C.Magazine cut　E.Old textiles, satin, silk thread

6

7

8

9

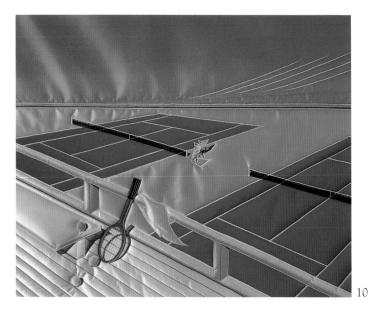

10

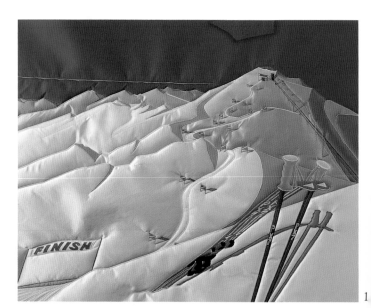

1

52

12

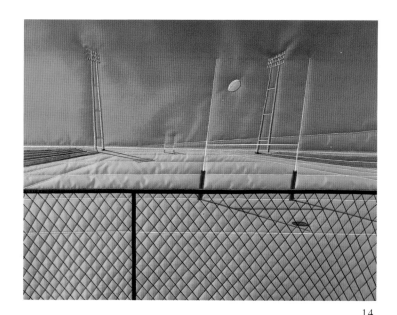

14

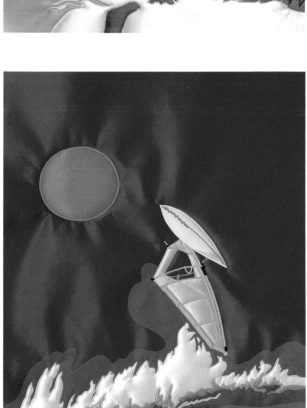

13

6. SPORTS DOME　　A.1993　B.650×450mm　C.情報誌Trend setter表紙
 　D.オンワードライフデザインネットワーク
 　E.サテン、オーガンジー、絹糸
7. SENTIMENTAL WIND ON THE POOL　　A.1983
 　C.個展用(N.Y.)ジャケット　E.サテン、オーガンジー、絹糸
8. THE SENTIMENTAL WIND　　A.1983
 　C.個展用(N.Y.)ベスト　E.サテン、オーガンジー、絹糸
9. THE COOL WIND ON THE COAST　　A.1983
 　C.個展用(N.Y.)ジャケット　E.サテン、オーガンジー、絹糸
10. THE COOL WIND ON THE COAST (あしたの色A)
 　A.1983　B.700×550mm　C.雑誌広告、ポスター、中吊、パンフ、DM
 　D.日立家電販売㈱　E.サテン、オーガンジー、絹糸
11. THE COOL WIND ON THE EARTH (あしたの色C)
 　A.1983　B.700×550mm　C.雑誌広告、ポスター、中吊、パンフ、DM
 　D.日立家電販売㈱　E.サテン、オーガンジー、絹糸
12.13.　SPORTS ON THE COAST　　A.1993　B.650×450mm
 　C.情報誌Trend setter表紙　D.オンワードライフデザインネットワーク
 　E.サテン、オーガンジー、絹糸
14. THE WARM WIND ON THE COAST (あしたの色D)
 　A.1983　B.700×550mm　C.雑誌広告、ポスター、中吊、パンフ、DM
 　D.日立家電販売㈱　E.サテン、オーガンジー、絹糸

6. Sports Dome　　A.1993　B.650×450mm　C.Cover of info magazine
 "Trendsetter"　E.Satin, organdy, silk thread
7. Sentimental Wind on the Pool　　A.1983　C.Individual exhibit (NY) jacket
 E.Satin, organdy, silk thread
8. The Sentimental Wind　　A.1983　C.Individual exhibit (NY) vest
 E.Satin, organdy, silk thread
9. The Cool Wind on the Coast　　A.1983　C.Individual exhibit (NY) jacket
 E.Satin, organdy, silk thread
10. The Cool Wind on the Coast (tomorrow's color A)　　A.1983　B.700×550mm
 C.Magazine ad, poster, pamphlet, train ad, DM　E.Satin, organdy, silk thread
11. Cool Wind on the Earth (tomorrow's color C)　　A.1983　B.700×550mm
 C.Magazine ad, poster, hanging poster, pamphlet, DM　E.Satin, organdy, silk thread
12,13. Sports on the Coast　　A.1993　B.650×450mm　C.Info magazine
 "Trendsetter" cover　E.Satin, organdy, silk thread
14. The Warm Wind on the Coast (tomorrow's color D)　　A.1983　B.700×550mm
 C.Magazine ad, poster, hanging ad, pamphlet, DM　E.Satin, organdy, silk thread

15. SENTIMENTAL WIND ON THE HIGHWAY
   A.1984　B.480×480mm　C.カレンダー
   D.本田技研工業㈱
   E.サテン、オーガンジー、絹糸

16. CAFÉ RESTAURANT　　A.1984
   B.480×480mm　C.カレンダー
   D.本田技研工業㈱
   E.サテン、オーガンジー、絹糸

17. SEA PARADISE　A.1992
   B.500×500mm　C.情報誌Trend setter表紙
   D.オンワードライフデザインネットワーク
   E.サテン、絹糸

18.19.20.22.　魚の皇へ　　A.1992
   B.500×500mm　C.個展用、カレンダー
   D.シンガーミシン　E.サテン、絹糸

21. 月よりの恵み　　A.1992
   B.500×500mm　C.情報誌Trend setter表紙
   D.オンワードライフデザインネットワーク
   E.サテン、絹糸

15. Sentimental Wind on the Highway
   A.1984　B.480×480mm　C.Calendar
   E.Satin, organdy, silk thread

16. Cafe Restaurant　　A.1984　B.480×480mm
   C.Calendar　E.Satin, organdy, silk thread

17. Sea Paradise　A.1992　B.500×500mm
   C.Info magazine "Trendsetter" cover
   E.Satin, silk thread

18,19,20,22.　Towards Pisces　A.1992
   B.500×500mm　C.Individual Exhibit,
   Calendar　E.Satin, silk thread

21. Moon Blessings　A.1992　B.500×500mm
   C.Info mag "Trendsetter" cover
   E.Satin, silk thread

15

16

17

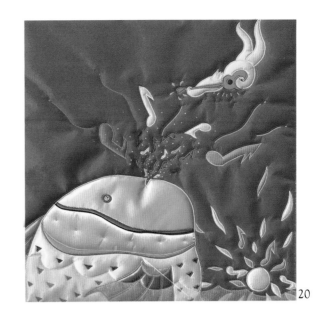

20

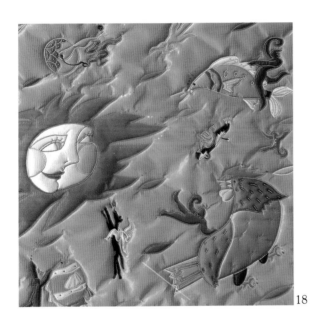

18

21

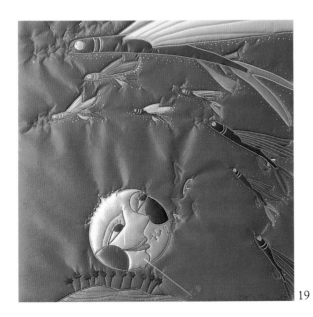

19

22

瀬原田 純子
JUNKO SEHARADA

布と糸による「絵」(ファブリック・ピクチャー)を制作しています。絵の具や鉛筆とは異なった表現ができるので、素材の特質を活かし、スケッチを基にして創作します。

見る方が瞬間にそれぞれの心の中に「詩」や「楽しさ」を広げて下されば、作者として嬉しいかぎりです。

I am creating "fabric pictures" with cloth and thread. With these I can create expressions which are different from those made with a pencil and drawing tools. But I base my creations with these materials upon sketches that I make.

If as an artist I feel that the viewer has experienced a moment of poetry or pleasure upon seeing my work then I am satisfied.

1

1. 夜の植物園　　A.1992　B.270×230mm
   C.朝日家庭便利帳表紙　D.朝日新聞社
   E.麻、木綿

2. 二羽の構図　　A.1991　B.250×320mm
   C.個展用作品　E.木綿、絹、麻

3. ノエル　　A.1993　B.365×260mm
   C.朝日家庭便利帳表紙　D.朝日新聞社
   E.絹、レーヨン糸、ラメ糸、木綿

1. Night Garden　　A.1992　B.270×230mm
   C.Asahi Family Notebook Cover
   D.Asahi Newspaper Company
   E.Linen, cotton

2. Two Owls　　A.1991　B.250×320mm
   C.Personal exhibit work
   E.Cotton, silk, linen

3. Noel　　A.1993　B.365×260mm
   C.Asahi Family Notebook Cover
   D.Asahi Newspaper Company
   E.Silk, rayon, cotton

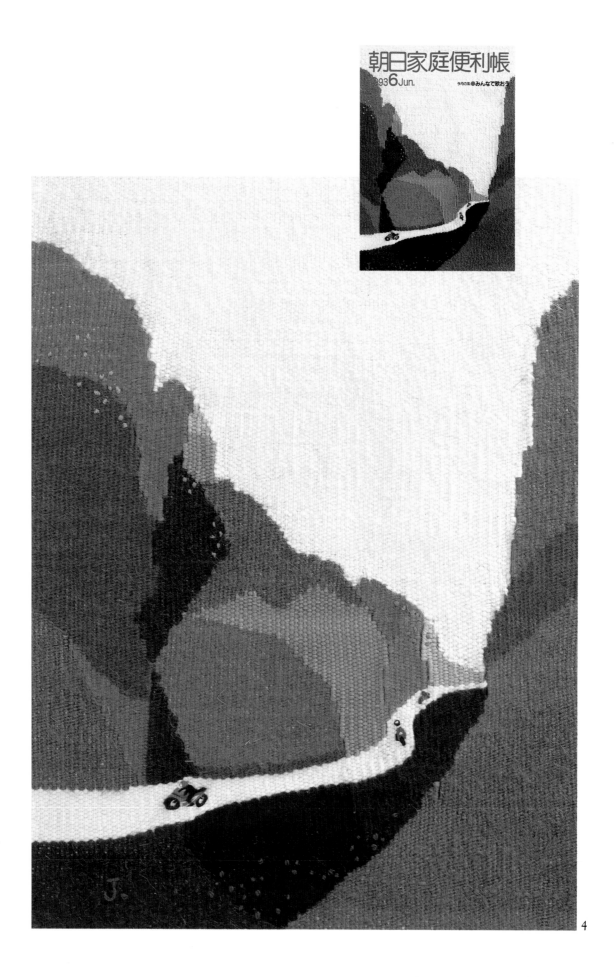

4

4. こだまが呼ぶ　　A.1993　B.300×220mm
　 C.朝日家庭便利帳表紙　D.朝日新聞社　E.麻、木綿

5. こんにちわ ラ・フランス　　A.1993　B.345×245mm
　 C.朝日家庭便利帳表紙　D.朝日新聞社　E.麻、絹、木綿

4. Kodama Calls　　A.1993　B.300×220mm　C.Asahi Family Notebook Cover
　 D.Asahi Newspaper Company　E.Linen, cotton

5. Konnichiwa La France　　A.1993　B.345×245mm　C.Asahi Family Notebook Cover
　 D.Asahi Newspaper Company　E.Linen, silk, cotton

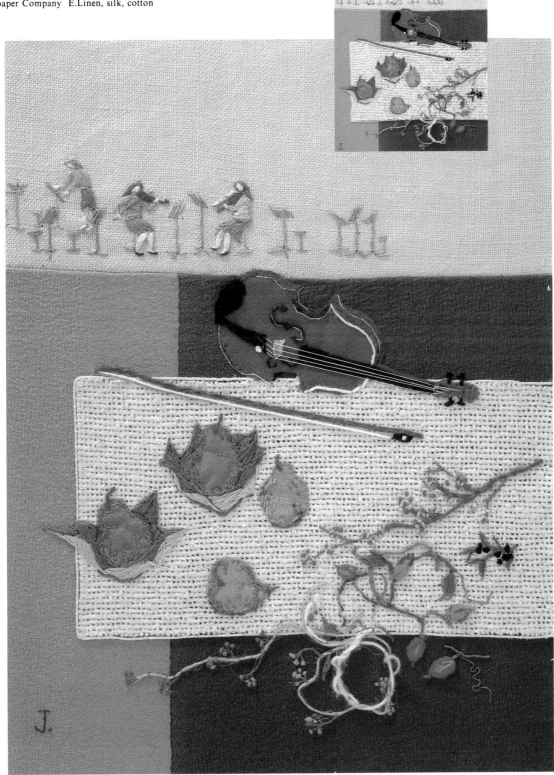

5

高橋 早苗
SANAE TAKAHASHI

従来は作品の発表を作品展に限ってきた。
日々の暮しの中で心を捉えたこと、感動したこと等、素材、色、テクニック等にとらわれずに、自由に楽しく制作する事をモットーにしている。
織りを基盤とする場合が多いので、先ず紙上で納得のいくまで想案を練る。その織りに、刺しゅうやアップリケ等を併用することで作品に厚味をつけ、自分の感動を表現することに向って努力する。

Until now I have limited the showing of my works to exhibits. My motto when working is to be free in my use of materials, not limiting myself to any certain cloths, colors or techniques as I try to express my daily thoughts and feelings. Because most of my work begins with basic stitching I develop my ideas in sketches until they are ready. On top of the stitching I add needlework and applique to build the texture of the work and express my own feelings.

1. 1993·5·23 in MONAKO—その風に
    A.1993　B.225×405mm
    C.作品展用　E.麻糸、毛糸、綿糸

1. 1993/5/23 in Monaco-To the Wind
    A.1993　B.225×405mm
    C.Work for exhibit
    E.Linen, wool and cotton thread

1

2

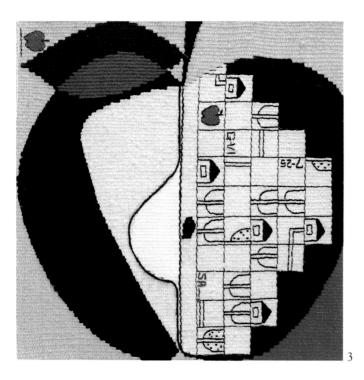

3

2. いろ・色・ZAKURO　　A.1992　B.125×250mm　C.作品展用
E.麻糸、毛糸、綿糸
3. りんごのふるさとの話　　A.1987　　B.300×300mm　C.作品展用
E.麻糸、毛糸、綿糸、絹糸
4. 秋色の風が吹いて　A.1991　B.240×250mm　C.作品展用
E.麻糸、綿糸、毛糸、ポッパナ(木綿のバイヤステープ)
5. コトコト煮込んで出来上がり　　A.1989　B.245×425mm
C.作品展用　E.麻糸、綿糸、麻布、ポッパナ
6. 花を飾りましょう　A.1991　B.255×395mm　C.作品展用
E.麻糸、毛糸、綿糸、麻布

4

5

6

2. Iro Iro Zakuro   A.1992 B.125×250mm
   C.Work for exhibit
   E.Linen, wool and cotton thread

3. The Story of Apple Town   A.1987
   B.300×300mm C.Work for exhibit
   E.Linen, wool, cotton and silk thread

4. An Autumnal Wind   A.1991
   B.240×250mm C.Work for exhibit
   E.Linen, cotton and wool threads,
   and popana (cotton bias tape)

5. Simmer Til Done   A.1989
   B.245×425mm C.Work for exhibit
   E.Linen and cotton thread, linen cloth,
   popana (cotton bias tape)

6. Decorate with Flowers   A.1991
   B.255×395mm C.Work for exhibit
   E.Linen, wool and cotton thread, and
   linen cloth

高橋 穂津美
HOZUMI TAKAHASHI

私にとって作品を作ることは、自己表現でありコミュニケーションの手段です。作品を見て、私が表現したことを感じたり、見た人なりに心が動くことを求めています。現在、私が表現し、人に伝えようとしていることは、日常意識に対する無意識、目に見える世界に対する目に見えない世界、太陽に対する月の存在のように世の中の相対する物の存在のバランス、重要性、必要性とその2つの接点の世界です。

For me creating works is both a way of expressing myself and a method of communication. When I see my works I feel myself expressed, and what I seek is to move the hearts of the people who view my works. What I am presently working on is the expression of opposites, such as consciousness versus unconsciousness, what can be seen in this world versus what cannot, the existence of the moon versus the sun, etc. I feel the need and the balance between these interlocking symmetries is important. It is the world which exists between these opposites which interests me.

1

1. Sink in the Sea　　A.1990　B.600×400㎜
   E.原毛、ナイロン布、コットン糸、
   ナイロン糸、紙

2. Each fish show me each time
   A.1992　B.500×300㎜
   C.東京ガス主催リビングアート・
   コンペティション作品 奨励賞
   E.和紙、原毛、ナイロン布、コットン糸

1. Sink in the Sea　　A.1990　B.600×400mm
   C.Original　E.Fleece, nylon cloth,
   cotton thread, nylon thread, handmade paper

2. Each Fish Shows Me Each Time　　A.1992
   B.500×300mm　C.Tokyo gas' Living Art
   Competition/Honorable Mention
   E.Japanese paper, fleece, nylon cloth, cotton
   thread

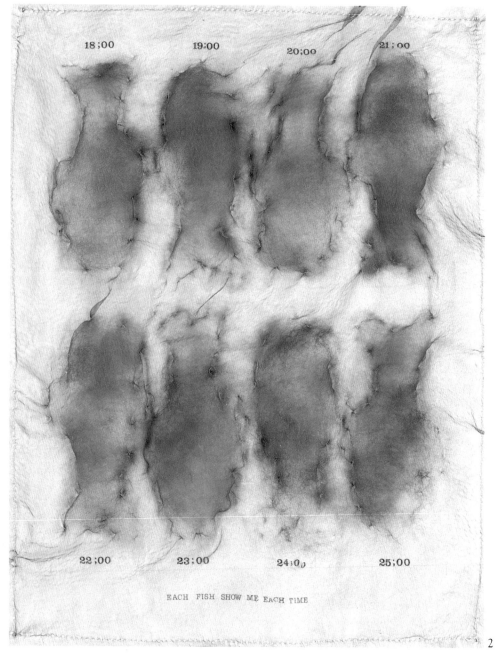

EACH FISH SHOW ME EACH TIME

2

西沢 啓子
KEIKO NISHIZAWA

雑誌の仕事を中心としています。その場合、材質やイメージが限られ、その範囲の中で、いかに自分の個性を出すかが大きなポイントになります。今回、掲載したタペストリーには友人のペンションに飾ることを目的とした物が一部あります。タペストリーを作る時、異質な素材をいかにバランスよく1枚のなかにおさめるか、想像力をかきたてられます。何げない物からの語りかけでタペストリー作りが始まります。

Most of my work is for magazines. Production, materials and image are to some extent limited, so my greatest challenge is to develop my own style within these constraints. This work is a tapestry I created to decorate a friend's pension. Maintaining a balance between the various materials in a single tapestry helped to stimulate my imagination....

1. スニーカー　　A.1993
   B.620×500mm　C.プライベート
   E.木綿、ロープ、5番・25番の刺しゅう糸
2. ジングルベルがきこえる　　A.1990
   B.440×385mm　C.プライベート
   E.木綿、ロープ、金ラメの布、リボン、ベル、
   ドールハウス用人形、セルロイド、紙のおもちゃ
3. とおーい　ハート(2月)　　A.1988
   B.420×420mm　C.作品展用
   E.木綿、ドミット芯、スパルコール、ラメ糸

1. Sneaker　　A.1993 B.620×500mm C.Private　E.Cotton thread, rope, No.5 and No.25 embroidery threads

2. A Single Bell is Heard　　A.1990　B.440×385mm　C.Private　E.Cotton thread, rope, gold laminate cloth, ribbons, bells, dollhouse dolls, celluoid, paper toys

3. Distant Heart - February　　A.1988　B.420×420mm　C.Work for exhibit　E.Cotton, padding spangles, laminated thread

董 蕾
DONG LEI

7年前来日、手芸店で見つけた豊富な毛糸の色数との出会いが、絲彩画（しさいが）を生みだしたのです。絲彩画とは、細かく刻んだ毛糸を絵の具に見立て、油絵の顔料と同じ表現の手段による独自の手法の点描画を言います。パレットで色を混ぜるのではなく、視覚で色を混ぜるのに、毛糸は魅力的な画材です。

I came to Japan seven years ago. At the time I discovered a sewing shop full of all kinds of yarns, and it led me to begin making fabric pictures. I use the shredded yarns like oil pigments and create an unique pointillising expression. I do not mix colors on a palette, but rather with my eyes. For me yarns are a most attractive material.

1

1. 利根川　　A.1992　B.380×455mm
   C.オリジナル　E.毛糸

2. 赤いマフラー　　A.1990　B.606×500mm
   C.オリジナル　E.毛糸

3. JR夢潭　　A.1993　B.606×727mm
   C.オリジナル　E.毛糸

1. Tonegawa River　　A.1992　B.380×455mm
   C.Original　E.Wool thread

2. Red Scarf　　A.1990　B.606×500mm
   C.Original　E.Wool thread

3. JR Dreaming　　A.1993　B.606×727mm
   C.Original　E.Wool thread

3

4

4. イタリア・アッシジ　A.1994　B.410×318mm
   C.オリジナル　E.毛糸

5. ベニス　A.1994　B.410×318mm
   C.オリジナル　E.毛糸

6. 朝もや　イタリア・フィレンツェ　A.1994
   B.242×333mm　C.オリジナル　E.毛糸

4. Italian Assisi　A.1994　B.410×318mm
   C.Original　E.Wool thread

5. Venus　A.1994　B.410×318mm
   C.Original　E.Wool thread

6. Morning Mist Over Italy's Firenze　A.1994
   B.242×333mm　C.Original　E.Wool thread

5

6

東田 亜希
AKI TODA

ながめるたびに、ながめるほどにどこか魅かれる絵。東洋と西洋がとけあった不思議な世界。布と糸が織りなす懐しくて、新しい独特の雰囲気。じっとみつめているとそこから新しい物語が始まるような、そんな絵が描けるイラストレーターをめざしています。

The longer I look at a picture the more I am captured by it. I enjoy the blend of east and west, the strange world this produces. The weaving of cloth and thread creates for more a loveable, new and original feeling. If I look long enough into a woven image it is as if I begin to hear a story being told. I want to be a creator of art like this.

1

2

1. おひつじ座
   A.1994
   B.170×130mm
   C.オリジナル
   E.布、インク、糸、
   ラインストーン、
   スパンコール、色鉛筆

2.3.魚座 I. II
   A.1994
   B.130×130mm
   C.オリジナル
   E.布、インク、糸、
   ラインストーン、
   スパンコール、色鉛筆

1. Aries   A.1994
   B.170×130mm
   C.Original
   E.Cloth, ink, thread,
   gem stones, spangles,
   colored pencils

2.3. Pisces I & II
   A.1994
   B.130×130mm
   C.Original
   E.Cloth, ink, thread,
   gem stones, spangles,
   colored pencils

3

富田 千花子
CHIKAKO TOMITA

本の虫で活字病だが、自分自身の生き方については殆ど言葉で考えないタイプである。それゆえ、視覚、聴覚、嗅覚、味覚、触覚の五感と、いわゆる第六感という感覚を刺激してくれる物事が、殊の外好きだ。

私にとって "人生は遊び" であって、出来るだけ面白く生きることをモットーにしている。布を使った作品作りも "私の玩具箱" の中のひとつであって、目下のところ、こだわりなく楽しめる遊びとして、気に入っている。

I am a complete bookworm, but when it comes to my life I hardly think about it in terms of words. Instead, I let my five senses-sight, hearing, smell, taste and touch-collect the impressions which stimulate my sixth sense.

My motto in life is to enjoy myself as far as possible, to "play in life" and create the most interesting works I can. Making art from cloth is one of the games in my "toybox." I always do my best to have as much fun as possible, and not get stuck on one idea.

1

1. 桃太郎、鬼退治の段　　A.1991　B.600×930㎜　C.「103人の日本の旗」展覧会作品　E.布、ビーズ、ラインストーン、綿

2. ミシンがほしいの図　　A.1991　B.1,450×1,500㎜　C.オリジナル　E.布、芯地、ロープ、糸、綿

3. ジパング　　A.1991　B.370×460㎜　C.テレビ　D.テレビTARO　E.布、ラインストーン、テープ、綿

1. Momotaro-Conquering the Demon
   A.1991 B.600×930mm C.Exhibition
   of 103 Japanese Families
   E.Cloth, beads, gem stones, cotton

2. Desire for a Sewing Machine
   A.1991 B.1,450×1,500mm
   C.Original   E.Cloth, padding, rope,
   thread, cotton

3. Zippangu   A.1991 B.370×460mm
   C.TV D.TV Taro
   E.Cloth, gem stones, tape, cotton

2

3

4. 夕陽に駆けるジンギスハン　　A.1989　B.600×680mm　C.オリジナル　E.布、ラインストーン、金属ビーズ、綿、糸、テープ
5.6.　MY FAVORITE THINGS　　A.1992　B.400×600mm　C.オリジナル(No.6)　D.とらばーゆ(No.5)　E.毛糸、布、ビーズ
7.8.9.10.　お面シリーズ　　A.1990　B.250×200mm　C.中学生向きのリーフレット表紙　D.読売新聞社　E.布、綿、テープ

4.　Jingus Khan Chased by the Sun　　A.1989　B.600×680mm　C.Original　E.Cloth, gem stones, metla beads, cotton, thread, tape
5.6.　My Favorite Things　　A.1992　B.400×600mm　C.Original (No.6)　D.Torabayu Magazine　E.Wool thread, cloth, beads
7.8.9.10.　O-nen Series　　A.1990　B.250×200mm　C.Leaflet for Junior High Students　D.Yomiuri Newspaper　E.Cloth, cotton, tape

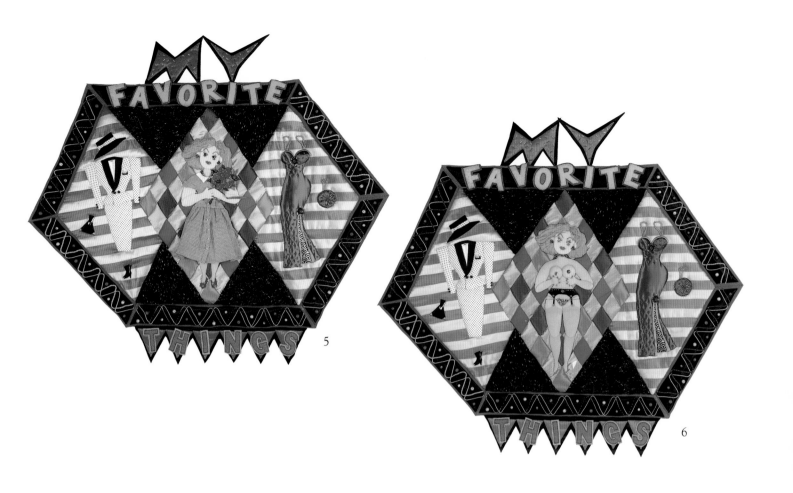

5

6

7

8

9

10

内藤 こづえ
KOZUE NAITO

1

1. A.1993　C.雑誌表紙草月10月号　D.㈱草月出版　PH.宮澤正明
2. A.1992　C.雑誌表紙草月12月号　D.㈱草月出版　PH.宮澤正明

1. A.1993　C.Oct. Issue of Sogetsu Magazine Cover D.Sogetsu Publishing Co. PH. Miyazawa Masaaki
2. A.1992　C.Dec. Issue of Sogetsu Magazine Cover D.Sogetsu Publishing Co. PH. Miyazawa Masaaki

2

3

3. A.1992　C.雑誌表紙草月8月号　D.㈱草月出版　PH.宮澤正明
4. A.1993　C.雑誌表紙草月8月号　D.㈱草月出版　PH.宮澤正明

3. A.1992　C.Aug. Issue of Sogetsu Magazine Cover D.Sogetsu Publishing Co. PH.Miyazawa Masaaki
4. A.1993　C.Aug. Issue of Sogetsu Magazine Cover D.Sogetsu Publishing Co. PH.Miyazawa Masaaki

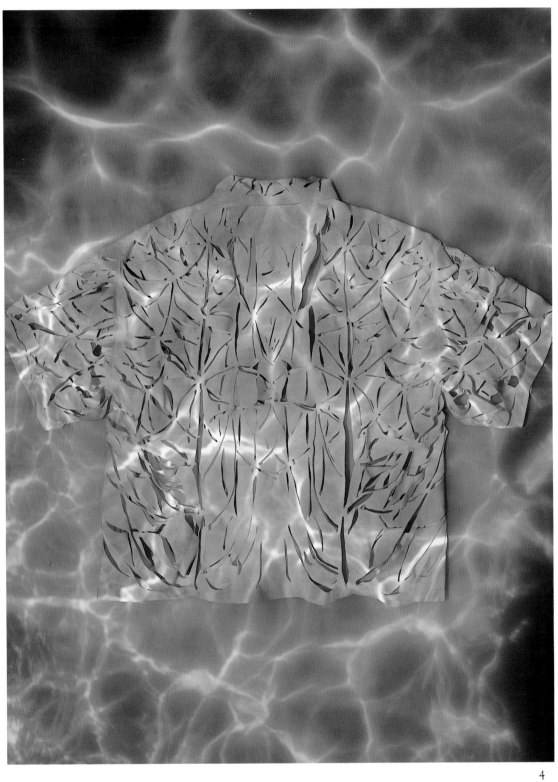

永井 泰子
YASUKO NAGAI

わたしは、やさしい布の手ざわりが大好きです。気にいった布を手にしながら、あれやこれや考えていると、だんだん作品のイメージがわいてきます。

わたしの一番好きなテーマは「出会い」です。人と人との出会い、人と物との出会い、物と物との出会い……。わたしと布とにも出会いがあります。それにビーズやスパンコールやリボンが加わって、すてきな「出会い」の世界が作れたらいいなといつも願っています。

I like very much the feel of soft cloth. If I hold in my hands a piece of cloth which I like my artistic image will gradually appear before me.

My favorite theme is "meeting". Meeting with people, meeting with things, seeing things meet... I myself have a meeting with my cloth, too. It is my hope at this time that I can bring beads and spangles and ribbons to the moment, to create a world where a "special meeting" takes place.

1

2

1.2.　夏のおくりもの――I．II　　A.1991　B.500×350mm　C.オリジナル　E.綿、サテン、オーガンジー、ビーズ、スパンコール、カラーワイヤー
3.　はじめての花束　　A.1987　B.300×450mm　C.雑誌表紙アドバタイジング　D.電通　E.綿、舞台衣装用布（ラメ入り布）

1.2.　Summer Gift - I.II　　A.1991　B.500×350mm　C.Original　E.Cotton, satin, organdy, beads, spangles, color wire
3.　First Bouquet　　A.1987　B.300×450mm　C.Cover, Advertising Magazine　D.Dentsu　E.Cotton, laminated fabric

中村 有希
YUKI NAKAMURA

布の持つ存在感に頼りすぎないこと、あくまでも絵として完成させること、など心がけているのですが、なかなか難しいところです。

I try not to rely too heavily upon the quality of the cloth, but rather as far as possible to create a finished picture. I put my heart into it, but I find it a very difficult challenge indeed.

1

82

2

1. 糸の化石　　A.1991　B.650×720mm　C.展覧会作品　E.毛糸、麻糸
2. 地平線　　A.1991　B.480×650mm　C.展覧会作品　E.毛糸、麻糸

1. Fossil of Thread　　A.1991　B.650×720mm　C.Work for exhibit　E.Wool and linen thread
2. Horizon　　A.1991　B.480×650mm　C.Work for exhibit　E.Wool and linen thread

3

3.　TEA FOR TWO　　　A.1993　B.450×660㎜　　C.展覧会作品　E.木綿、刺しゅう糸
4.　DEAR EARTH 2　　 A.1993　B.400×400㎜　　C.カレンダー　D.凸版印刷　E.木綿
5.　DEAR EARTH 1　　 A.1993　B.400×400㎜　　C.展覧会作品　E.木綿
6.7.　INVITE CAT 1.2　　A.1993　B.420×650㎜　　C.展覧会作品　E.木綿

3.　Tea for Two　　A.1993　B.450×660mm　C.Work for exhibit　E.Cotton and embroidery threads
4.　Dear Earth II　　A.1993　B.400×400mm　C.Calendar　D.Toppan Printing Co. E.Cotton
5.　Dear Earth I　　A.1993　B.400×400mm　C.Work for exhibit　E.Cotton
6.7.　Invited CAT I.II　　A.1993　B.420×650mm　C.Work for exhibit　E.Cotton

4

5

7

6

奈良京子
KYOKO NARA

自然のなかからのインスピレーションや、心の裡側、遠い記憶、目には見えないけれど "感じられるもの" を表現したいと思っています。布や糸の色彩やテクスチャーは豊かな言葉を持っていて、物語を紡ぎ出す力となってくれます。

What I try to express is the inspiration I take from nature and the feelings hidden in my heart, the memories I have from long ago, and the things I cannot see but somehow feel. Cloth, colored thread and texture are rich in words, giving me the power to express my tale.

1

1. 2月の流れ星　　A.1988　B.420×450mm　C.雑誌表紙「ゆきのまち通信」　D.ぷりずむ　E.木綿、インド・シルク、麻糸、ぬき糸(布より)、アクリル絵具
2. 石の聲III　　A.1987　B.400×560mm　C.個展用　E.木綿、シルク、原毛、ぬき糸、アクリル絵具
3. 石の聲IV　　A.1987　B.450×450mm　C.個展用　E.木綿、藍染古布、シルク、ぬき糸、麻糸、アクリル絵具

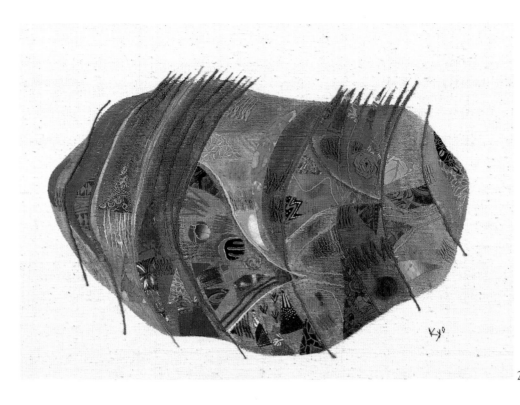

1. February's Shooting Star   A.1988 B.420×450mm C."Yukinomachi Tsushin" magazine cover   D.Prism Co. E.Cotton, indian silk, linen, unraveled thread and acrylics

2. Voice of Rocks III A.1987   B.400×560mm C.Personal exhibit E.Cotton, silk, fleece, unraveled thread, acrylics

3. Voice of Rocks IV A.1987   B.450×450mm C.Personal exhibit E.Cotton, old dyed textiles, silk, unraveled thread, linen thread, acrylics

2

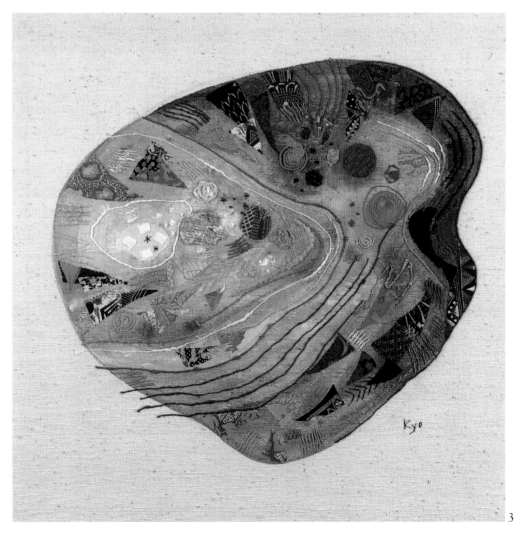

3

4

5

4. 心象風景 (鳥の声)　　A.1985　B.540×360mm
　C.雑誌表紙「キャロット」　D.A・Tプラン
　E.木綿、シルク、麻、ぬき糸、麻糸、アクリル絵具
5. 心象風景　　A.1984　B.380×580mm　C.個展用
　E.木綿、シルク、麻、ぬき糸、麻糸、アクリル絵具
6. 心の行方　　A.1985　B.620×320mm　C.個展用
　E.木綿、シルク、古布、ぬき糸、麻糸、アクリル絵具
7. イマージュ　　A.1985　B.280×450mm　C.個展用
　E.木綿、麻、シルク、ぬき糸、麻糸、アクリル絵具
8. イマージュ(地中より)　　A.1984　B.320×540mm
　C.個展用　E.木綿、シルク、ぬき糸、麻糸、アクリル絵具

6

7

8

4. Heart Scenes (Voices of birds)　A.1985
B.540×360mm　C."Carrot" magazine
cover　D.AT Plan　E.Cotton, silk, linen,
unraveled thread, linen thread, acrylics

5. Heart Scenes　A.1984　B 380×580mm
C.Personal exhibit　E.Cotton, silk,
linen, unraveled thread, linen, acrylics

6. Whereabouts of the Heart　A.1985
B.620×320mm　C.Personal exhibit
E.Cotton, silk, old textiles, unraveled
thread, linen thread, acrylics

7. Image　A.1985　B.280×450mm
C.Personal exhibit　E.Cotton, linen, silk,
unraveled thread, linen thread, acrylics

8. Image (from middle earth)　A.1984
B.320×540mm　C.Personal exhibit
E.Cotton, silk, unraveled thread, linen,
acrylics

JERRY PAVEY
ジェリィ ペイビィ

私自身も非常に気に入り、クライアントからも一番注文が多いのが、布を縫い合わせたコラージュです。布のコラージュは、何よりも人をひきつける魅力をもち、表現力や創造力をいかんなく発揮することができるので、個人的にも一番楽しく創作できます。作品は多彩な色、生地、織り方の布の組み合わせで構成し、さらに様々な他の材料を付け加えて印象を高めることも可能です。

My very favorite, and coincidentally the one most requested by clients, is the Stitched Fabric Collage. It has the most charm and appeal; allows for the most expression and creativity; and, selfishly, is the most fun to create. The collages consist of a diversity of colors, textures and weaves of textile fabrics, to which numerous object can be added for more character.

1

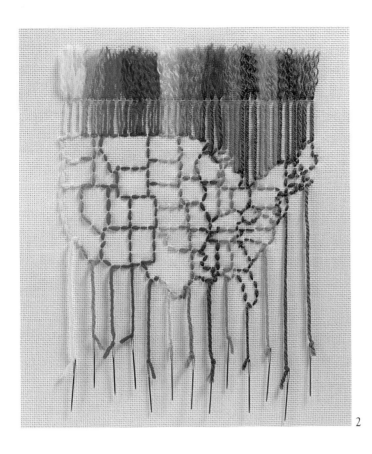

1. View From Capitol Hill   A.1989
B.20×16in.   C.雑誌
D.The Brookings Review Magazine
E.布、ミシン糸

2. Our Very Fiber   A.1993   B.14×13in.
C.雑誌   D.American Educator Magazine
E.布、ヤーン糸、縫い針

3. Transition   A.1989   B.13×11in.
C.雑誌   D.Dialogue Magazine
E.布、レース、ミシン糸

4. What So Proudly We Hail   A.1989
B.13×11in.   C.雑誌   D.Dialogue Magazine
E.布、レース、ミシン糸

1. View From Capitol Hill   A.1989
B.16″×20″high   C.Editorial
D.The Brookings Review Magazine
E.Fabric and Sewing Thread

2. Our Very Fiber   A.1993   B.13″×14″high
C.Editorial   D.American Educator Magazine
E.Fabric, Yarn, and Sewing Needles

3. Transition   A.1989   B.11″×13″high
C.Editorial   D.United States Information
Agency-Dialogue Magazine
E.Fabric, Lace, and Sewing Thread

4. What So Proudly We Hail   A.1989
B.11″×13″high   C.Editorial
D.United States Information
Agency-Dailogue Magazine
E.Fabric, Lace, and Sewing Thread

2

3

4

5. I'M A PEPPER　　A.1989　B.17×22in.　C.雑誌
D.The Farm Credit Banks Funding Corporation
E.布、メタルクロス、アプリケ、ミシン糸

6. CHRISTMAS GOOSE　　A.1992　B.12×12in.　C.広告
D.S&S Graphics,Inc.
E.布、レース、ちょう結びのアプリケ、飾りボタン、ミシン糸

7. SERENITY　　A.1989　B.21×17in.　C.広告
D.Pavey Design & Illustration　E.布、皮、スエード、子羊の毛、ミシン糸

8. WOOLLY QUARTET　　A.1992　B.16×16in.　C.広告
D.S&S Graphics,Inc.　E.布、子羊の毛、ミシン糸

9. AMERICA'S TRADITION　　A.1992　B.15×15in.　C.広告
D.S&S Graphics,Inc.　E.布、メタルクロス、ボタン、ミシン糸

5. I'm A Pepper　　A.1989　B.22″×17″high　C.Editorial　D.The Farm Credit Banks
Funding Corporation　E.Fabric, Metal Cloth, Applique Patch, and Sewing Thread

6. Christmas Goose　　A.1992　B.12″×12″high　C.Advertising　D.S&S Graphics,Inc.
E.Fabric, Lace, Bow Applique, Metal Stud, and Sewing Thread

7. Serenity　　A.1989　B.17″×21″high　C.Advertising　D.Pavey Design & Illustration
E.Fabric, Leather, Suede, Lamb's Wool, and Sewing Thread

8. Woolly Quartet　　A.1992　B.16″×16″high　C.Advertising
D.S&S Graphics,Inc.　E.Fabric, Lamb's Wool, and Sewing Thread

9. America's Tradition　　A.1992　B.15″×15″high　C.Advertising　D.S&S Graphics,Inc.
E.Fabric, Metal Cloth, Buttons, and Sewing Thread

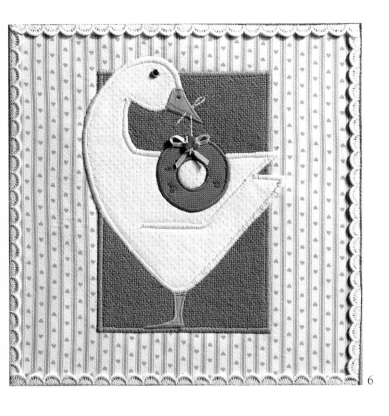

6

7

8

9

林 喜美子
KIMIKO HAYASHI

私自身でなくては出来ない布絵の世界を作り出そうと決意して始めました。目標として布絵の頂点を設定し、それに必要なあらゆる分野の勉強をしました。デザイン、デッサン、油絵、日本画、さらには染色にも長く師事いたしました。私の目指す独創性を最大限に重視する作品を作りたかったからです。これからも永遠の芸術美と心象表現の可能性を追求すると共に、生活の中のインテリア用品、カレンダー、ポスター等の印刷物も作成したいと思っております。

I made up my mind to create a world of fabric art as only I can do it. My aim is to be the best, and I have therefore studied all possible techniques and fields. I have spent considerable time studying design, oil painting, Japanese woodblock printing, even dyeing. My reason is simple; I seek to realize the highest level of self-expression. It is my eternal goal to explore the limits of artistic expression in this area, as well as in interior design and printing.

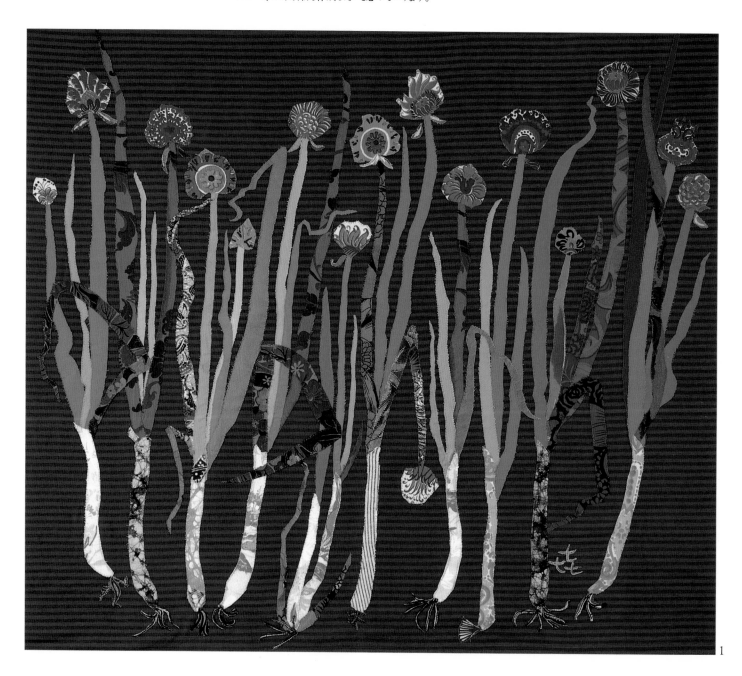

1

1. 葱ボーズ　　A.1990　B.1,130×1,175mm　C.画集作品　E.木綿、織地の上に木綿布、木綿糸(50番・60番)
2. 蟹　　A.1988　B.455×375mm　C.画集作品　E.木綿布、木綿糸(50番・60番)
3. 銀座まつりポスター　　A.1985　B.390×278mm　C.ポスター　D.東京都中央区役所　E.木綿布 はり絵
4. 魚たち　　A.1994　B.509×392mm　C.オリジナル　E.サラサ布、木綿地、木綿糸(50番・60番)
5. 梅酒　　A.1988　B.575×475mm　C.画集作品　E.木綿布、木綿糸(50番・60番)

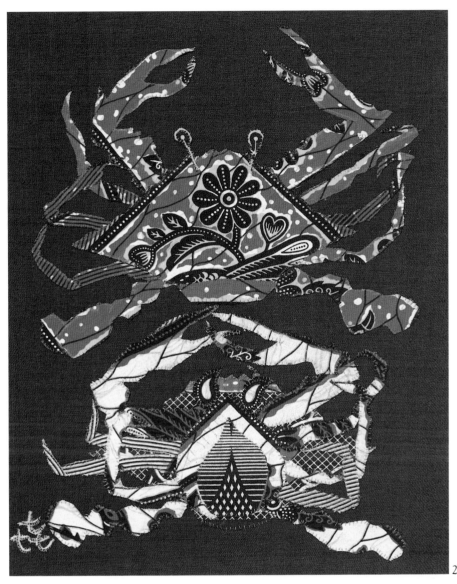

1. Onion Flower   A.1990 B.1,130×1,175mm
    C.Art collection E.Cotton, cloth and cotton
    thread (No.50, 60) on woven background

2. Crab   A.1988 B.455×375mm C.Art collection
    E.Cotton cloth, cotton thread (No.50, 60)

3. Ginza Festival Poster   A.1985 B.390×278mm
    C.Poster D.Tokyo-to Chuo Ward Office
    E.Cotton cloth and pasted cut-out pictures

4. Fish   A.1994 B.509×392mm C.Original
    E.Chintz, cotton background, cotton thread
    (No.50, 60)

5. Plum Wine   A.1988 B.575×475mm C.Art
    collection E.Cotton cloth, cotton thread
    (No.50, 60)

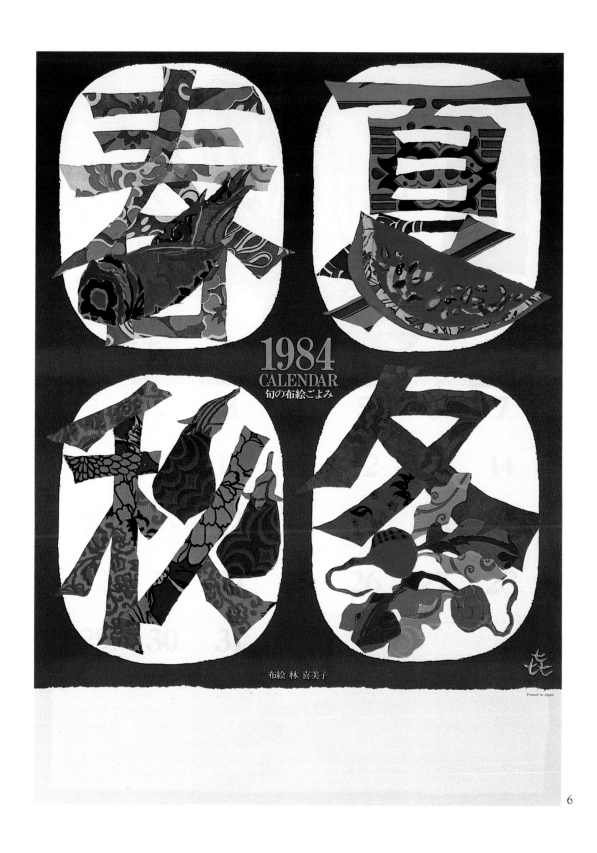

1984
CALENDAR
旬の布絵ごよみ

布絵 林 喜美子

6

6.7.8.9.10.　布絵カレンダー　　A.1984　B.510×370㎜　C.カレンダー(13枚の内5枚)　E.木綿地、はり絵

6.7.8.9.10.　Cloth Picture Calendar　　A.1984　B.510×370mm　C.Calendar (5 pages of 13)　E.Cloth background, cut-out pictures

飾り蝦
前祝として
壹希の中   喜舍

1月

日	月	火	水	木	金	土
1	2	3	4	5	6	7
8	9	10	11	12	13	14
15	16	17	18	19	20	21
22	23	24	25	26	27	28
29	30	31				

女ばかり
土筆摘み居る
野は浅し   子規

3月

日	月	火	水	木	金	土
			1	2	3
4	5	6	7	8	9	10
11	12	13	14	15	16	17
18	19	20	21	22	23	24
25	26	27	28	29	30	31

虹立つや
トマト畑しく中に
露一すく   犀川

7月

日	月	火	水	木	金	土
1	2	3	4	5	6	7
8	9	10	11	12	13	14
15	16	17	18	19	20	21
22	23	24	25	26	27	28
29	30	31				

塩引や
蝦夷の涙送
祝けける   一茶

12月

日	月	火	水	木	金	土
						1
2	3	4	5	6	7	8
9	10	11	12	13	14	15
16	17	18	19	20	21	22
23 30	24 31	25	26	27	28	29

11

11. 青い魚たち　　A.1979　B.1,620×1,300mm　C.現代工芸展出品作品　E.自染の木綿布、木綿糸(50番・60番)でモラ、パッチワーク、アプリケ手法
12. 紅い街　　A.1987　B.1,350×930mm　C.仏、サロン・ドトンヌ入賞作品　E.木綿地に木綿糸(50番・60番)でモラ手法

12

11. Blue Fish   A.1979 B.1,620×1300mm C.Modern Crafts Exhibit
    E.Home-dyed cotton cloth, cotton thread (No.50, 60), mora, patchwork and applique methods.

12. Scarlet Town   A.1987 B.1,350×930mm C.Buddha Salon du Tonne Award winner
    E.Cotton cloth background, cotton thread(No.50, 60) mora method.

彦阪　泉
IZUMI HIKOSAKA

花を見ているといろんな思いがします。神秘・優しさ・可愛らしさ・安らぎ・歓喜・勇気・哀愁・etc。非常に抽象的ですが、今の心情を花を通して表現していきたいと思います。独自の花を目標に一点一点素直に表現し、グレードアップを目指します。

布は、綿ローンを使っていますので、柔らかさや、優しさが感じられ、素材にずいぶん助けられています。

When I look at flowers I think of various things. Mystery, beauty, lovability, rest, happiness, bravery, sadness and other things. It might seem very abstract, but my present wish is to express my feelings through the depiction of flowers. I am trying to depict individual flowers as clearly as possible, and to steadily improve my work. I use cotton cloth, a soft and easy-to-use material which helps greatly in my work.

1. 告白(カサブランカ)　　A.1993
   B.560×420mm　C.'95カレンダー表紙
   D.日本原色カレンダー　E.手染め綿ローン
2. とてもうれしい(チューリップ) 1月
3. ありがとう(カール・レッド) 2月
4. リップスティック(口紅水仙) 3月
5. 風に吹かれている日(トルコキキョウ) 4月
6. 私の中の誰か(ジャクリーン) 5月
7. 雨あがり(アイリス) 6月
8. 残月(月下美人) 7月
9. 瞳の水面(睡蓮) 8月
10. 恋占い(ガーベラ) 9月
11. HALF MOON(カラー) 10月
12. COSMOS(コスモス) 11月
13. 聖夜(胡蝶蘭) 12月

各A.1993　B.360×260mm　C.'95カレンダー
D.日本原色カレンダー　E.手染め綿ローン

1. Confession　　A.1993　B.560×420mm
   C.'95 Calendar Cover　D.Nihon Genshoku
   Calendar　E.Hand-dyed cotton cloth
2. Very Happy
3. Thank you
4. Lipstick
5. Windblown Day
6. Someone Inside Me
7. After Rain
8. Last Moon
9. Surface Eye
10. Love Fortune
11. Half Moon
12. Cosmos
13. Holy Night

(All) A.1993　B.360×260mm　C.'95 Calendar
D.Nihon Genshoku Calendar
E.Hand-dyed cotton cloth

1

無口な恋シリーズ　14.ノンフィクション(ツユクサ)　15.はじまり(タンポポ)
16.展覧会(ドクダミ)　17.夏休み(ヒルガオ)　18.なごり雪(ハコベ)　19.翼があれば(ニリンソウ)
20.瞳の中の私(シロツメグサ)　21.お月さま(ハハコグサ)　22.砂時計(ホタルブクロ)
23.あなたのしぐさ(ムラサキニガナ)　24.誘惑(アカツメグサ)　25.無口な恋(ヒメジョン)
26.らせん階段(カラスノエンドウ)　27.選択(ヘクソカズラ)　28.虹をくれた人(キウリグサ)
29.時の流れに舟を浮かべて(ナデシコ)　30.一番悲しい夢をみた日(ナズナ)
31.正解(レンゲソウ)　32.満足(カタバミ)　33.穏やかに(サクラソウ)
34.誰も知らない Love Story(オオジシバリ)　35.海に抱かれて(ギボウシ)　36.直感(ノアザミ)
37.同じ雨に濡れて(ハルリンドウ)　38.Invitation(オオマツヨイグサ)　39.暗示(スミレ)
40.土星を見る日(ヘラオオバコ)　41.時をとめて(ヘビイチゴ)　42.もしも(ミヤコワスレ)
43.うそつき(オオイヌノフグリ)　44.結び(タンポポ・ワタゲ)　45.フィクション(ポピー)

各A.1993　B.190×120㎜(タテ位置)、120×190㎜(ヨコ位置)　C.オリジナル　E.手染め綿ローン

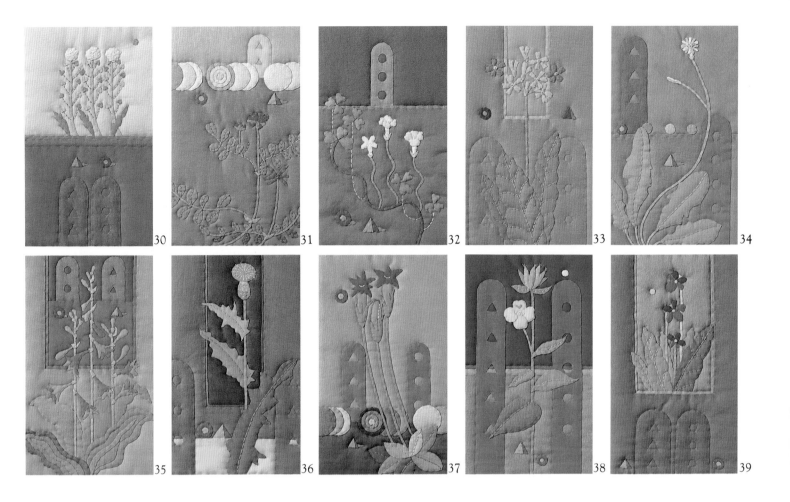

communication

14. Nonfiction
15. Introduction
16. Exhibition
17. Vacation
18. Perfection
19. Protection
20. Reflection
21. Presentation
22. Slow-motion
23. Collection
24. Temptation
25. Communication
26. Reincarnation
27. Selection
28. Direction
29. Navigation

30. Vibration
31. Resolution
32. Satisfaction
33. Moderation
34. Action
35. Meditation
36. Inspiration
37. Recollection
38. Invitation
39. Suggestion
40. Reservation
41. Stop-Motion
42. Imagination
43. Question
44. Termination
45. Fiction

(All) A.1993 B.190×120mm (standing)
120×190mm (horizontal) C.Original
E.Hand-dyed cotton cloth

IZUMI HIKOSAKA

福岡 義之
YOSHIYUKI FUKUOKA

ここ3年間、まったく個人的な絵を描いている。その間に描けた絵は、たったの5マイ。1枚描き終えるのに1年半以上もかかった物もある。「もうできない!!」と日記にも何度も書いてある。しかし不思議な事に続けていれば、やがてエンジェルはやってくるのである。

そして又、いつやってくるかわからないエンジェルを捜しに出かけるのである。できれば「堕ちた天使」には、会いたくないのだけど……。

For the past three years I have done only personal works. And in these three years I have created only five pieces. One of these took me over a year and half to complete. How many times I have written in my diary: "I can do no more !" But strangely, when I continue I find that an angel comes to me. Because I never know when this angel will come, I go out and try to find it. But I don't ever want to create an image of a "fallen angel," either...

1

1.2. PART OF LIFE　　A.1991　B.1,300×910㎜　C.オリジナル　E.綿、プロシオン染料

1.2. Part of Life　　A.1991　B.1,300×910mm　C.Original　E.Cotton, procion dye

2

3

3. DEAR BABY　　A.1993　B.255×185mm　C.オリジナル　E.綿、プロシオン染料
4.5.7. ONE DAY IN N.Y.　　A.1991　B.200×180mm　C.カレンダー　D.TV Bros　E.綿、プロシオン染料
6. ONE DAY IN N.Y.　　A.1993　B.200×180mm　C.オリジナル　E.綿、プロシオン染料

3. Dear Baby　　A.1993　B.255×185mm　C.Original　E.Cotton, procion dye

4,5,7. One Day in N.Y.　　A.1991　B.200×180mm　C.Calendar　D.TV Bros.　E.Cotton, procion dye

6. One Day in N.Y.　　A.1993　C.Original　E.Cotton, procion dye

8

8. I.LENDL　　A.1993　B.230×160mm
　C.セーコースーパーテニス オフィシャルプログラム
　D.SEIKO SUPER TENNIS　E.綿、プロシオン染料

9. S.EDBERG　　A.1992　B.230×160mm
　C.セーコースーパーテニス オフィシャルプログラム
　D.SEIKO SUPER TENNIS　E.綿、プロシオン染料

8. I. Lendl   A.1993 B.230×160mm   C.Seiko
    Super Tennis Offical Program
    E.Cotton, procion dye

9. S. Edberg   A.1992 B.230×160mm   C.Seiko
    Super Tennis Official Program
    E.Cotton, procion dye

9

藤永 陽子
YOKO FUJINAGA

魚の美しさに魅かれ、作り続けていくうち、本当の魚達の形の良さ、バランスの良さ、摩可不思議な色彩に、驚くばかりで、とうてい真似ることなどできないのですが、この世に、こんな魚によく似た布のサカナが空中で浮遊していてもいいかなと思いつつ、ドンドン生まれ出てくるのです。

I am attracted to the gentleness of fish. As I work I notice their fineness and balance of form, and their strangely beautiful coloring. It's always surprising. And so I think to myself how nice it would be if such lovely fish were floating in the air, and through my work I see these creatures born, one after another.

1

1. 魚たちの空中回遊　　A.1991　C.ウインドウディスプレイ、パンフレット表紙　D.㈱仙台アムス、㈱所沢パルコ、㈱松木屋、日本エコライフセンター
　 E.綿キルティング、綿サテン、特殊生地、ジャバラテープ、ボタン、ビーズ、パール、スパンコール
2. ドレスアップしたエンゼルたち　　A.1993　B.200×350mm　C.オリジナル　E.キルティング、サテン、特殊生地、テープ、ビーズ、ボタン、綿
3. 銀イワシの回遊　　A.1993　B.90×420mm　C.オリジナル　E.特殊生地、サテン、テープ、ボタン、ビーズ、綿

1. Fish in Mid-Air Play　　A.1991　C.Window display, pamphlet cover　E.Cotton quilting, cotton satin, special cloth, jabara tape, buttons, beads, pearls, spangles
2. Dressed-up Angels　　A.1993　B.200×350mm　C.Original　E.Quilting, satin, special cloth, tape, beads, buttons, cotton
3. Silver Sardines at Play　　A.1993　B.90×420mm　C.Original　E.Special cloth, satin, tape, buttons, beads, cotton

2

3

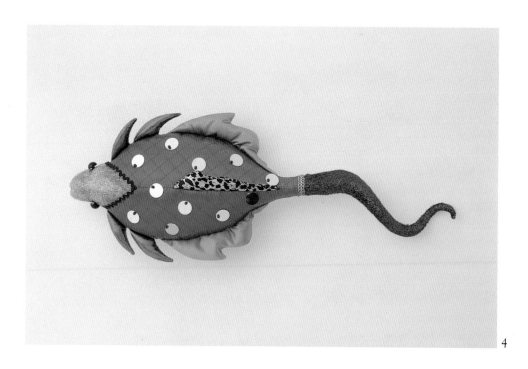

4. ミスター・ブルーテール　　A.1992
B.250×600mm　C.オリジナル
E.キルティング、サテン、ラメ、
スパンコール、テープ、綿

5. トゲトゲ・センボン　　A.1992
B.220×360mm　C.オリジナル
E.ラメ、サテン、テープ、ビーズ、
スパンコール、ボタン、綿

6. ミセス・グレイ　A.1994　B.350×400mm
C.オリジナル　E.特殊生地、テープ、ビーズ、
スパンコール、ボタン、針金、綿

7. マダム・フィン　A.1994　B.250×420mm
C.オリジナル　E.特殊生地、ラメ、テープ、
ボタン、ビーズ、綿

4

5

6

4. M. Blue Tail   A.1992 B.250×600mm C.Original
   E.Quilting, satin, lame, spangles, tape, cotton

5. The thorn fish   A.1992 B.220×360mm
   C.Original   E.Lame, satin, tape, beads, spangles,
   buttons, cotton

6. Misses Gray   A.1994 B.350×400mm C.Original
   E.Special cloth, tape, beads, spangles, buttons,
   wire, cotton

7. Madam Fine   A.1994 B.250×420mm C.Original
   E.Special cloth, lame, tape, buttons, beads, cotton

7

藤野 木綿子
YUKO FUJINO

日頃、仕事で扱う画材は半立体で紙粘土が多く、あとは平面でポスターカラー等で描く、という仕事が多かったのですが、今回初めて布と紙粘土を合わせてみて、考えていたより、おもしろい効果が上がったな、と思いました。制作中の注意点は、硬質と軟質の質感の収まりと、色の調和などです。今回の作品は仕事ではなかったので自分の考えを100％生かすことができた訳ですが、これからは仕事としても、うまく取り入れていきたいです。

Nowadays the materials I use in my work are solids and paper clay, except when I am coloring posters and things, and I recently tried using thread and paper clay together, and found the effect better than I had expected. When working with these materials it is important to control the firmness of the texture and the blend of colors. This work was not a job, but rather something I did for myself, reflecting 100% my ideas. I hope in the future to introduce the method effectively into my other work.

1

2

3

1. 仮縫い　　A.1994　B.205×150mm　C.オリジナル
　 E.紙粘土、ポスターカラー、刺繍糸、ビーズ、レース、裏地

2. 繕い物　　A.1994　B.205×150mm　C.オリジナル
　 E.紙粘土、ポスターカラー、刺繍糸、ビーズ、ボア、綿、コーデュロイ

3. 仕立屋　　A.1993　B.205×105mm　C.オリジナル
　 E.紙粘土、ポスターカラー、刺繍糸、ツィード、ニット

1. Pre-stitching　　A.1994　B.205×150mm　C.Original　E.Paper clay,
　 poster colors, embroidery thread, beads, lace, lining

2. Sewing　　A.1994　B.205×150mm　C.Original　E.Paper clay,
　 poster colors, embroidery thread, beads, boas, cotton, corduroy

3. Tailor　　A.1993　B.205×105mm　C.Original　E.Paper clay,
　 poster colors, embroidery thread, tweed, knit

細井 千佳
CHIKA HOSOI

糸の軽量感、透明感をかりて、記憶の不安定さ、感情のは
かなさ、それにまつわる自分の経験を作品として表現していま
す。自分の心の中に在るものを、改めて振り返り、その中か
らのイメージと自分の解釈を作品にすることによって自分自
身を追究しています。作品がヴィジュアルだけの物ではな
く、私の言葉の説明抜きで、作品自体が、見る側の人の心
の中に語りかけられる様な作品を作りたいと思っています。

I have been trying ot express instability of memories,
temporality of feelings, anbd related experiences in my work
through the qualities of the thread; lightness and transparency.
My works are based upon the images and understandings I have
discovered in myself. I want to create images which require no
explanation to effect the viewer's internal world.

1

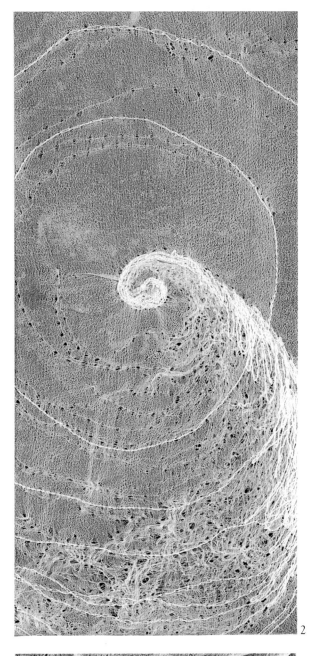

2

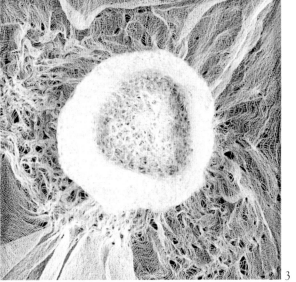

3

1. In a moment(Stage 3)
   A.1993　B.2,300×300㎜
   C.オリジナル
   E.テトロン、オーガンジー、
   木綿、水溶性布
   (糸)木綿、ナイロン、光ファイバー

2. 窓：心の世界を覗く―作品1―
   A.1992　B.210×95㎜
   C.オリジナル
   E.絹 (糸)ナイロン、
   ポリエステル
   (のり)ウォール ペースト

3. 窓：心の世界を覗く―作品2―
   A.1992　B.55×55㎜
   C.オリジナル
   E.絹布、ナイロン糸

1. In a Moment (Stage 3)　　A.1993
   B.2,300×300mm　C.Original　E.Tetron,
   organdy, cotton, water soluble cloth,
   cotton thread, nylon, optical fiber

2. A Window: Peeking into the Internal
   World (Work 1)　　A.1992
   B.210×95mm　C.Original　E.Silk,
   nylon and polyester thread, wall paste

3. A Window: Peeking into the Internal
   World (Work 2)　　A.1992　B.55×55mm
   C.Original　E.Silk, nylon thread

松井 春子
HARUKO MATSUI

身の囲りの物を布とミシンで作る。私の日常の中にあった布の素材とミシンが、よりホットで明るいテーマをイラストに表現したい。そのフィーリングにピッタリ、マッチしました。モチーフ毎に綿を入れ、脹らませながら囲りをステッチします。表現が明解になり、影が生まれ表情も出ました。古代布や新しい素材も使ってみようと思っています。布の豊かさを借りて、生きていること、共生していることの豊かさを表現してゆきたいと思います。

I create the things around me with cloth and thread and a sewing machine. With the cloth and sewing machine that I have always lived with I want to create every brighter, more exciting works. I work to match feeling with expression. I decide my motif and select cloth, and then sew, moving the cloth around until shadows and expression become clear. Now I'm thinking about using old textiles with new types of material. Borrowing the richness of cloth I try to express the richness of life and living together.

1

1. ロンもいっしょ　　A.1992　B.670×570mm　C.ポスター　D.全労済　E.サテン、綿プリント、ミシン糸
2. バルコニー　　A.1991　B.400×400mm　C.カタログ表紙　D.ABCハウジング　E.サテン、綿プリント、ミシン糸
3. バスルーム　　A.1991　B.400×400mm　C.カタログ表紙　D.ABCハウジング　E.サテン、綿プリント、ミシン糸
4. リビングルーム　　A.1991　B.400×380mm　C.カタログ表紙　D.ABCハウジング　E.サテン、綿プリント、レース、ミシン糸

1. With Ron　　A.1992　B.670×570mm
   C.Poster　E.Satin, cotton print,
   machine thread

2. Balcony　　A.1991　B.400×400mm
   C.Catalog cover　D.ABC Housing
   E.Satin, cotton print, machine thread

3. Bathroom　　A.1991　B.400×400mm
   C.Catalog cover　D.ABC Housing
   E.Satin, cotton print, machine thread

4. Living Room　　A.1991　B.400×380mm
   C.Catalog cover　D.ABC Housing
   E.Satin, cotton print, machine thread

3

4

5. 光のロンド　　A.1990　B.700×550mm
　　C.原田知世コンサートポスター
　　D.サントリー　E.サテン、オーガンジー、ミシン糸

6. A.1993　B.150×150mm
　　C.グラフ SG1　D.聖教新聞社　E.サテン、ミシン糸

7. A.1993　B.120×120mm
　　C.グラフ SG1　D.聖教新聞社　E.綿プリント、ミシン糸

6

5. Lond of Light　　A.1990　B.700×550mm
　　C.Harada Tomoyo Concert poster　D.Suntory
　　E.Satin, organdy, machine thread

6. A.1993　B.150×150mm　C.Graph SGI
　　D.Seikyo Newspaper　E.Satin, machine thread

7. A.1993　B.120×120mm　C.Graph SGI
　　D.Seikyo Newspaper　E.Cotton print,
　　machine thread

7

箕浦 有見子
YUMIKO MINOURA

文明の発展に伴い貴重な環境が破壊されていきます。私達が存在を知らないまま絶滅してしまった動物たちや魚たちや植物があるかもしれません。素晴しい地球上の造型物を私達の手で壊してしまわないようにしたいです。まだ出逢ったことはないけれど、こんな動物たちがいるのではないかという気持ちをこめて作品を作っています。人間だけの"すみか"ではない地球を、いろんな生物たちと共存していければいいなと思います。

With the development of civilization our invaluable environment is being destroyed. There are probably animals, fish and plants which have become entirely extinct without our knowing it. It is my wish not to destroy the wonderful creations of our earth. Though I have not met them all I do my best to create works which show the wonder of meeting these animals. This is not just a world for people. I want it to be a world where all living things can coexist.

1

1. 魚たち　　A.1992　B.730×517㎜
　　C.作品展用オリジナル　E.綿糸、裏地

2. 髪飾りペンギン　　A.1993　B.517×365㎜
　　C.オリジナル　E.裏地、綿糸、刺しゅう糸

3. チューリップ　　A.1994　B.365×258㎜
　　C.オリジナル　E.裏地、綿糸、刺しゅう糸

4. ニジイロ・シーラカンス　　A.1993　B.517×730㎜
　　C.展覧会用オリジナル　E.綿糸、裏地、刺しゅう糸

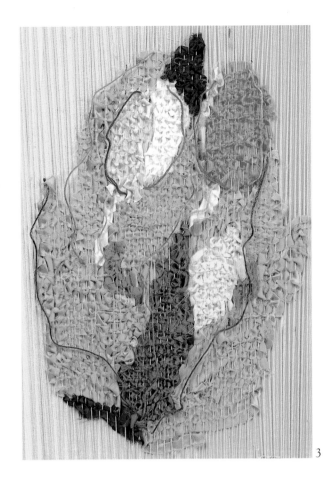

1. Fish　　A.1992　B.730×517mm　C.Original for exhibit
　　E.Cotton thread, lining cloth

2. Coiffured Penguin　　A.1993　B.517×365mm　C.Original
　　E.Lining cloth, cotton thread, embroidery thread

3. Tulip　A.1994　B.365×258mm　C.Original　E.Lining cloth,
　　cotton thread, embroidery thread

4. Rainbow-Colored Coelancanth　　A.1993　B.517×730mm　C.Original
　　for exhibit　E.Cotton thread, lining cloth, embroidery thread

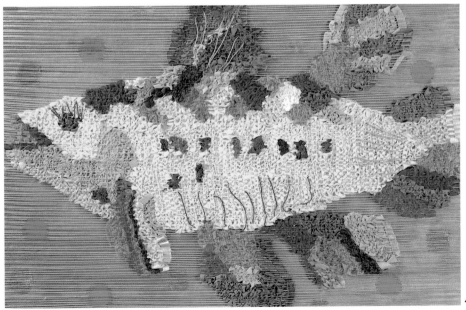

森 薫
KAORU MORI

最初は平面作品を制作していたのですが、いつ頃からか立体的なものに惹かれるようになり、1985年から立体、半立体の作品を創るようになりました。今は、月、太陽、鳥をテーマに取組んでいます。特に月に魅せられるのは私自身の内省的性格によるのかもしれません。非常にシンプルなフォルムを持ちながら、神秘的でかつ幻想的な月を描くことによって、自らの内なる世界を表現していきたいと思っています。

In the beginning I was creating flat surface works, but at some point I became attracted to three dimensional things, and in 1985 began creating three dimensional and semi-dimensional works. Currently I am working with the moon, the sun and birds as my themes. My special attraction to the moon might have something to do with my introspective character. Through creating works based on the moon, which is of a simple shape yet mysterious and fantastic, I have come to express the world inside me.

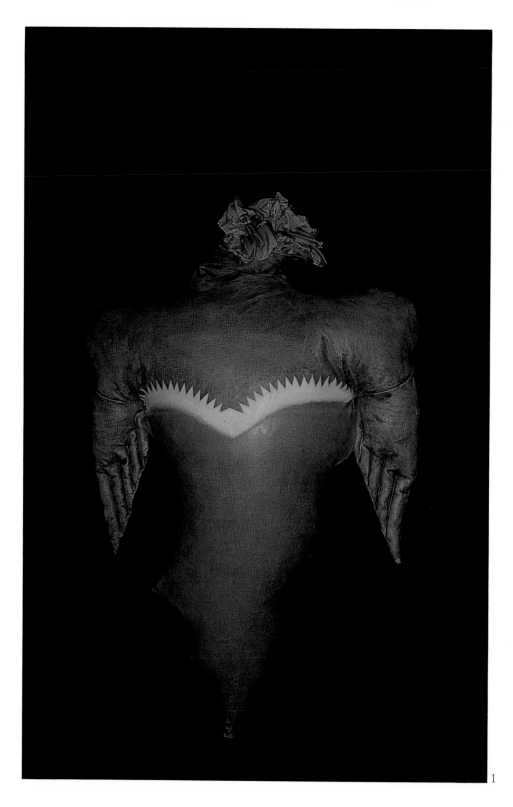

1

1. 鳥 I　　A.1989　B.1,500×550㎜　C.個展用オリジナル　E.麻芯地、パンヤ、リボン、油絵具、スチール、ファスナー
2. 鳥 II　　A.1993　B.1,600×550㎜　C.個展用オリジナル　E.麻芯地、パンヤ、リボン、紙、アクリル絵具、スチール、ファスナー

1. Bird I　　A.1989　B.1500×550mm C.Personal exhibit original　E.Linen padding, panya, ribbons, oils, steel, fasteners
2. Bird II　　A.1993　B.1600×550mm C.Personal exhibit original　E.Linen padding, panya, ribbons, paper, acrylics, steel, fasteners

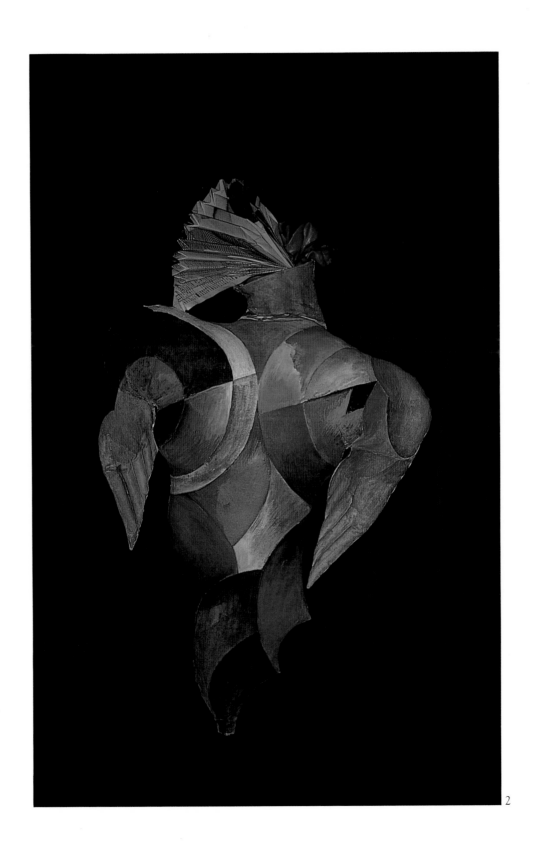

2

3

4

5

6

7

8

森 麗子
REIKO MORI

油絵や水彩画等の絵具と筆を、糸や布と針やシャトルにかえて絵を描く。これを私はファブリック・ピクチャーと呼び新しい分野を開拓。糸と布を使い自由な技法を時に単独に、時に併用して感動を表現する。具体的に言えば、織・刺・染・付置といった技法を自由に選択駆使することで絵を描く。クライアントは私の作品の中から使用目的にあわせて絵を選び、作品集、本の表紙、カレンダー、ポスター等様々なものに使用している。

Instead of using oil and watercolors, pens and palette to create pictures, I use a cloth and thread, needle and frame. I am developing a new genre which I call "fabric pictures." I use thread and fabric in various freestyle methods, sometimes alone, other times in combination, to create the effects I want. Specifically, these include weaving, needlepoint, dyeing and soaking. My works are selected by clients according to their needs for collections, book covers, calendars, posters and many other applications.

1

1. 静かに秋が　　A.1992　B.230×310mm　C.個展(和光ホール)、詩画集「月と太陽の旅」　D.木耳社　E.麻糸、木綿糸
2. 田園 C　　A.1982　B.260×300mm　C.個展(ミキモトホール)、作品集「白夜の旅から」、カレンダー　D.文化出版局　E.麻糸、木綿糸
3. 楠落葉 A　　A.1991　B.180×290mm　C.個展(文芸春秋画廊)、詩画集「もりの詩」　D.木耳社　E.木綿布、木綿糸

2

1. Autumn Quietly   A.1992 B.230×310mm
   C.Personal exhibit, Poetry & Art Collection   D.Mokuji-sha
   E.Linen and cotton thread

2. Gardens C   A.1982 B.260×300mm C.Personal exhibit,
   Collection, Calendar D.Bunka Publications
   E.Linen and cotton thread

3. Cypress Leaves Fallen A   A.1991 B.180×290mm
   C.Personal exhibit, Poetry & Art Collection
   D.Mokuji-sha E.Cotton cloth, and thread

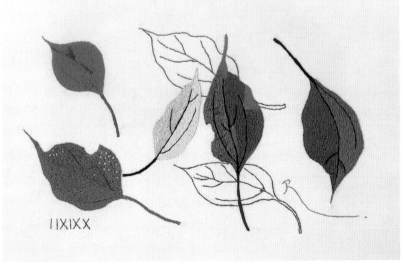

3

REIKO MORI

5

4. 森　　A.1992　B.400×380mm
　　C.個展(和光ホール)、詩画集「かぜの旅」　D.木耳社　E.木綿布、木綿糸

5. 芽ぶくころ　　A.1991　B.330×520mm
　　C.個展(文芸春秋画廊)、詩画集「もりの詩」、カレンダー　D.木耳社　E.木綿布、木綿糸

4. Forest　　A.1992　B.400×380mm
　　C.Personal exhibit, Poetry & Art Collection　D.Mokuji-sha　E.Cotton cloth, and thread

5. Sprouting Time　　A.1991　B.330×520mm
　　C.Personal exhibit, Poetry & Art Collection, Calendar　D.Mokuji-sha　E.Cotton cloth, and thread

7

8

6

6. 森の中のコーヒーハウス　　A.1977　B.270×490mm
　　C.個展(文芸春秋画廊)、作品集「糸の詩」、カレンダー　D.雄鶏社　E.木綿布、木綿糸

7. リーベ河沿いの古い古い町　　A.1983　B.340×480mm
　　C.個展(文芸春秋画廊)、(高島屋)、作品集「糸の旅」、カレンダー、絵葉書　D.木耳社　E.麻布、木綿糸

8. ユーカリの中の村　　A.1992　B.240×380mm
　　C.個展(和光ホール)、詩画集「かぜの旅」、雑誌、テレフォンカード、カレンダー
　　D.木耳社、暮らしの手帖社、郵政省　E.麻布、木綿糸

6. The Forest Coffee House　　A.1977　B.270×490mm　C.Personal exhibit, Art Collection,
Calendar　D.Ondori-sha　E.Cotton cloth and thread

7. An Old, Old Town on the Liebe　　A.1983　B.340×480mm　C.Personal exhibit,
Art Collection, Calendar, Post card　D.Mokuji-sha　E.Linen, cotton thread

8. A Village in Blue Gums　　A.1992　B.240×380mm　C.Personal exhibit,
Poetry & Art Collection, Telephone Card, magazine, Calendar
D.Mokuji-sha, Kurashinotecho-sha, Ministry of Posts and Telecommunications
E.Linen, cotton thread

REIKO MORI

柳原 一水
NAOMI YANAGIWARA

素材や技法にとらわれず、その時々で自由なスタイルで作品創りをしている。刺繍、アップリケ、コラージュ、染色等のテクニックを使ったタピストリー、又は額装作品が中心である。

テーマは日常風景を写したアットホームなものや、旅先で見つけた風景、四季折々の自然を歌った具象的な傾向から、材質の組み合わせによる、構成の美しさを狙った抽象的な作品まで、いずれも、布素材に手仕事の温もりを伝えながら製作に勤んでいる。

I work freely, creating works with different styles and techniques, not allowing myself to be controlled by any specific style. I create tapestries and framed pieces using needlework, applique, collage, dyes and other materials.

My subjects range from at-home, daily scenes to views I have come across on trips and seasonal subjects. While my work might be said to tend toward the concrete, the way I mix materials often leads to abstract compositions. In any case, my efforts are always aimed at communicating warmth through hand-made, cloth material art.

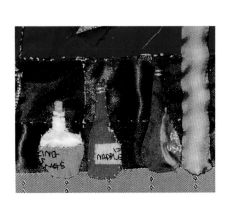

1. 裏通りの午後　A.1981　B.830×950mm　C.雑誌「non no」掲載
   E.木綿、シルク、化繊、レース（綿・ナイロン）、タグ、
   ビーズ、染料、No.25刺しゅう糸、ブレード、ボタン、リボン刺しゅう糸

1. Backstreet Afternoon　A.1981　B.830×950mm　C.Magazine
   E.Cotton, silk, polyester, lace(cotton, nylon), tags, beads, dyes,
   No.25・ribbon embroidery thread, braids, buttons

ごく日常的でなにげない光景を作品にするのも楽しいことです。見過していた身近かな品や、動物や植物そして人々の仕
草などを見直して、その各々に合った素材を考えることが、大切な作業となります。古くて汚れて壊れかけている物のもつ温
かい感じも、時には作品を創る面白い要素となります。これらの作品にはことに古いネクタイや着物地、タグ、思い出のボ
タンなどが登場します。

Making works of the most everyday scenes is one of my great pleasures. I watch the movements of plants and animals,
and the gestures of people, and think about what materials can best express them. This is a very important part of my
work. The warmth of objects which are old or worn can often give a very unique feeling to a work. In the future I am
sure my works will contain old items of clothing-unused neckties and old buttons that have caught my fancy.

1

2

2. 花野　　A.1992　B.700×700mm　C.展覧会用「第5回ニードルワーク日本展」出品
E.キャンバス、木綿、染料、リボンテープ、刺しゅうリボン、No.5・No.25刺しゅう糸、レーヨン糸、ポリエステル糸

3. 小さな木陰　　A.1990　B.250×340mm　C.個展(日本橋高島屋)　E.木綿、染料、No.25刺しゅう糸

2. Field of Flowers　　A.1992　B.700×700mm　C.Entry for "Fifth Needlework Exhibit" exhibition　E.Canvas, cotton, dyes, ribbon tape, embroidery ribbon, No.5 & 25 embroidery thread, rayon and polyester thread

3. In a spot of shade　　A.1990　B.250×340mm　C.Parsonal exhibit　E.Cotton, dyes, No.25 embroidery thread

山田 愛子
AIKO YAMADA

日頃造形の仕事では、素材に麻や絹、木綿等の布を植物で染めて使用しています。様々なマテリアルの異なる布は、弾力や光沢、透明感などを持ち、素材自身の持つテクスチュアと、植物染料との微妙な色のからみ合いが、造形する上で大きなヒントとなります。そして時には布を裁ち落とした断片が周囲に散らばり、偶然にも重なって意外な配色になったり、裏返しの思いがけない面白い形だったりします。こうした事象のひとつもそのままイメージの種となっていきます。

In my recent work I am dyeing linen, silk and cotton cloth in plant dyes. These various materials all show different effects of dyeing. Elasticity, shine, transparency, etc., are all distinctive. The way the coloring takes to the different fabrics provides me with a clue to the work I will create. But then again pieces of cloth I have cut away will sometimes fall in an interesting way, creating a new color, turning over my original idea so that it comes out more interesting. The seeds of inspiration appear in this way from strange sources.

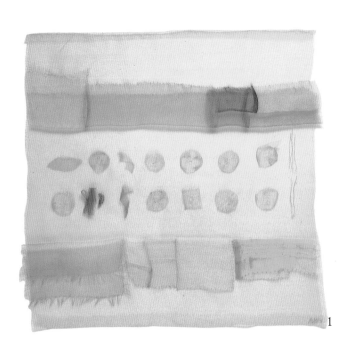
1

1. マリーゴールド　A.1990　B.370×450mm
   C.雑誌「ハイミセス」'91 3月号　D.文化出版局
   E.シルクオーガンジー、植物染料、マリーゴールド

2. 洋なし　A.1990　B.330×450mm
   C.雑誌「ハイミセス」'91 3月号　D.文化出版局
   E.シルクオーガンジー、木綿プリント

3. カンナ　A.1992　B.500×350mm
   C.雑誌「婦人百科」、書籍「赤い実」
   D.日本放送出版協会、かど創房
   E.シルクオーガンジー、木綿布、植物染料、
   スオウ、マリーゴールド、刺しゅう

4. 風の記憶　A.1992　B.500×400mm
   C.カレンダー　D.西武信用金庫経営企画部
   E.シルクオーガンジー、綿プリント、ビーズ
   PH.下村 誠

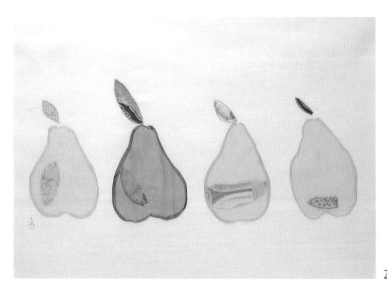
2

3

1. Marigolds　A.1990　B.370×450mm　C."High Misses" magazine
   D.Bunka Publications　E.Silk organdy, plant dyes, marigolds

2. Pear　A.1990　B.330×450mm　C."High Misses" magazine　D.Bunka Publications
   E.Silk organdy, cotton print

3. Canna　A.1992　B.500×350mm　C."Women's Encyclopedia" magazine,
   "Red Fruit" book　D.NHK Publications, Kado Studio　E.Silk organdy, cotton,
   plant dyes, sappan, marigolds, embroidery

4. A Wind Memory　A.1992　B.500×400mm　C.Calendar　D.Seibu Trust Bank
   Business Planning Department　E.Silk organdy, cotton print, beads
   PH. Makoto Shimomura

赤い実
小鳥は何の実がおいしいか、よく知っ
ているらしい。ナンテンの実が色づくの
を待ちきれないのか、お正月の頃には
ついばんで、葉にかくれた2、3個がか
ろうじて残っているだけだ。
おいしくてやわらかいものから、順番に
食べてしまうのだろうか。だれも気が
つかない薮の中のやぶこうじの実さえ
も、2月ごろにはやがてなくなってしま
う。小鳥は地面に降りてきて、のぞき込
むようにして見つけるのだろう。運よく
残った赤い実が、ある朝、雪をのせて
重たそうに、さらに赤く冴えている。

Red fruits
The little birds seem to know
which fruits are most delicious.
They can hardly wait for
the *nanten* fruit to ripen, and by
New Years one must search under
dead leaves to finds the few
remaining fruit.
　　Fruit is soft and delicious, and
birds no doubt eat it as it ripens.
By February even the spearfruit in
the brambles is almost all gone.
The birds land on the ground and
pluck carefully for the last pickings.
On a day of snow the last lucky
fruits seem to lie more heavily,
and their color is especially vivid.

6

7

5. 赤い実　　A.1992　B.500×350mm　C.雑誌「婦人百科」、書籍「赤い実」　D.日本放送出版協会、かど創房　E.リネン、ビーズ、麻布

6.7.　赤の構成・青の構成　　A.1989　B.3,000×1,000mm　C.インターナショナルテキスタイルデザインコンテスト'89
　　D.ファッション振興財団：フィルム提供　E.シルクオーガンジー、植物染料、藍、スオウ、紅茶、刺しゅう

5.　Red Fruits　　A.1992　B.500×350mm　C."Women's Encyclopedia" magazine, "Red Fruits" book　D.NHK Publications, Kado Studio　E.Linen and beads

6.7.　Red Composition, Blue Composition　　A.1989　B.3,000×1,000mm　C.International Textile Design Contest '89　D.Fashion Promotion Foundation:
　　Film Presentations　E.Silk organdy, plant dyes, indigo, sappan, black tea, embroidery

米倉 健史
KENSHI YONEKURA

特別な場所ではなく、何てことない、どこにでもある日常的な風景を見るとイメージが拡がって、どんどん拡がって自分の中で特別な場所になっていく。そこで繰り広げられる物語。誰もが一度は通る道。イメージがイメージを生んで、その中を彷徨う自分を見る。テーマは「愛」。広告業界での動きよりも企画個展が中心。

A place that isn't special, that could be anywhere, that is as everyday as possible, is the type of scene where I build my image, expanding myself within it until it becomes a special place. And that is where I create my stories. A place where someone has once walked. Images give birth to images. I see myself through the eyes of the person in that scene. The theme is love. More than advertising, my work is used in subject-wise exhibits.

・春の波・
　息が
　止まりそうなくらい
　春が満開
　息が
　止まりそうなくらい
　輝く君
　息が
　止まりそうなくらい
　しあわせ

・The Waves of Spring・
　These high days of spring
　They take my breathe away
　This sparkling you
　You take my breath away
　With happiness

1. 春の波　　A.1993　B.300×560㎜
　C.個展用　E.化学染料炊き染め綿、糸

1. The Waves of Spring　　A.1993
　B.300×560mm　C.Individual
　exhibit　E.Cotton and thread
　dyed in chemical dyes

1

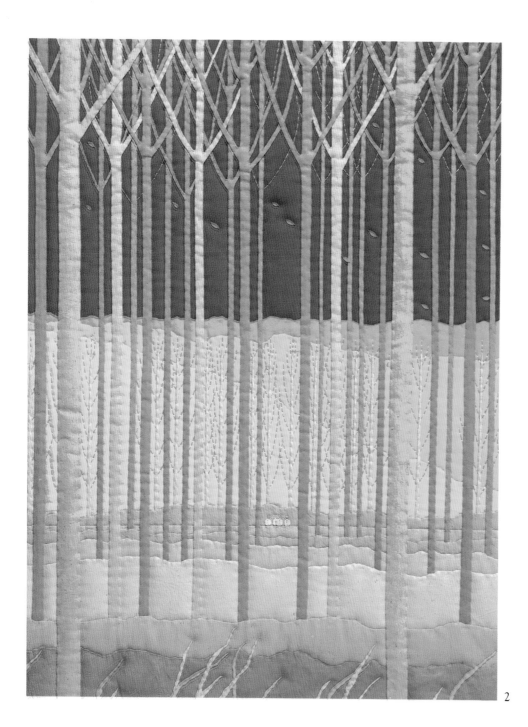

2

2. もっといっぱい…好きって…　　A.1992　B.560×415mm　C.'94カレンダー　D.㈱ザ・パック　E.化学染料炊き染め綿、糸

3. 雨に濡れてもいい　　A.1992　B.415×560mm　C.'94カレンダー　D.㈱ザ・パック　E.化学染料炊き染め綿、糸

4. One More Chance　　A.1993　B.560×300mm　C.'95カレンダー　D.㈱ザ・パック　E.化学染料炊き染め綿、糸

5. So Happy Day (充たされる時)　　A.1993　B.300×560mm　C.'95カレンダー　D.㈱ザ・パック　E.化学染料炊き染め綿、糸

2. More please...I like it　　A.1992　B.560×415mm　C.'94 Calendar　E.Cotton and thread dyed in chemical dyes

3. Let the Rain Drip　　A.1992　B.415×560mm　C.'94 Calendar　E.Cotton and thread dyed in chemical dyes

4. One More Chance　　A.1993　B.560×300mm　C.'95 Calendar　E.Cotton and thread dyed in chemical dyes

5. Such Happy Days　　A.1993　B.300×560mm　C.'95 Calendar　E.Cotton and thread dyed in chemical dyes

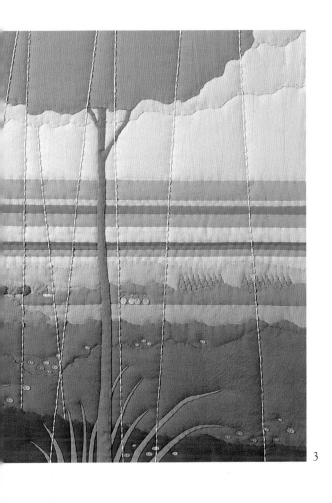

3

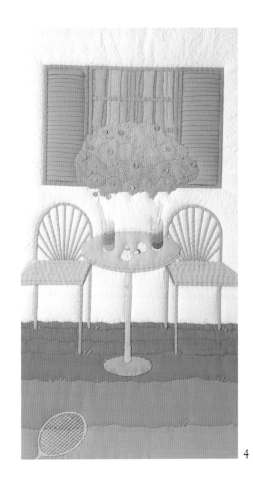

4

5

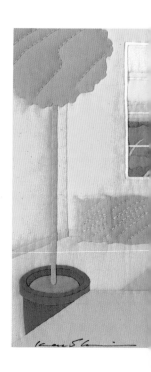

6

6. Morning Call   A.1993 B.560×300mm C.'95 Calendar
   E.Cotton and thread dyed in chemical dyes

7. Dry Wind   A.1993 B.300×560mm C.'95 Calendar
   E.Cotton and thread dyed in chemical dyes

8. A Gift from You   A.1993 B.300×560mm C.'95 Calendar
   E.Cotton and thread dyed in chemical dyes

9. Your Seat   A.1993 B.300×560mm C.'95 Calendar
   E.Cotton and thread dyed in chemical dyes

6. Morning Call　　A.1993　B.560×300㎜
　　C.'95カレンダー　D.㈱ザ・パック
　　E.化学染料炊き染め綿、糸

7. 乾いた風　　A.1993　B.300×560㎜　C.'95カレンダー
　　D.㈱ザ・パック　E.化学染料炊き染め綿、糸

8. 君からの贈りもの　　A.1993　B.300×560㎜　C.'95カレンダー
　　D.㈱ザ・パック　E.化学染料炊き染め綿、糸

9. Your Seat　　A.1993　B.560×300㎜　C.'94カレンダー
　　D.㈱ザ・パック　E.化学染料炊き染め綿、糸

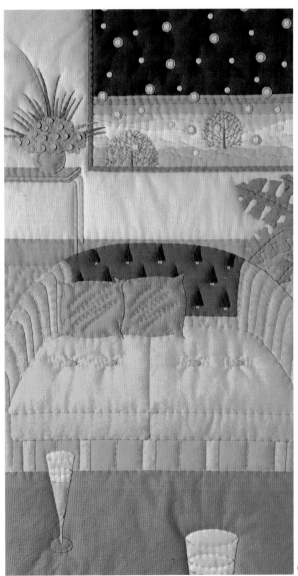

作家紹介
ILLUSTRATORS PROFILE

青木和子　6,7,8,9,10,11

1953年生まれ。'74年武蔵野美術大学卒業。日本カラーデザイン研究所にカラープランナーとして勤務後、スウェーデンのBorås-Taxtil institutetにて、デザインと織を学ぶ。有楽町阪急にて、'87、'90年テキスタイル刺しゅう展を開催する。刺しゅう、織、プリントデザインなど、テキスタイルの広い範囲で出版社に作品を発表している。著書「プリントあそび」「リボンウィービング」日本ヴォーグ社刊。

浦野千鶴　12,13,14,15

1968年文化服装学院ハンディクラフト科卒業。1970年より森麗子ガブロム工房でファブリックピクチャーの研究。1972年より森麗子ガブロム工房で実技指導。1981年より朝日カルチャーセンター横浜・講師。
展覧会:1976年サエグサ画廊。1979〜82年銀座三愛画廊。1983〜93年京橋千疋屋ギャラリー。
著書:織る〔啓佑社〕、ワンポイント刺しゅう〔文化出版局〕研究スタッフ共著。

MARGARET CUSACK　16,17,18,19

1945年シカゴ生まれ。ニューヨーク、ブルックリンのプラット・インスティテュートでグラフィックデザイナーとしての訓練を受ける。イラストレーター、グラフィックデザイナー、民芸作家でもある彼女の作品は、写実的な挿絵が針と布で表現されているという説明が最もふさわしく、深い郷愁をそそるアメリカ的な魅力に満ちた作風と言える。針によるイラストレーションは、レコード・ジャケット、広告、ポスター、本の挿絵、グリーティング・カード、飾り皿、看板などに使われている。またインテリアとしてのカーテンや壁紙、柔らかい彫像、演劇の小道具なども手がけているが、すべて布を素材としている。

遠藤玲子　20

1967年山形生まれ。1986年仙台デザイン専門学校入学。1987年第22回宮城県商業美術展　仙台市教育委員会賞受賞。1988年仙台デザイン専門学校卒業。1988年株式会社グランパ入社。現在に至る。

川口てるこ　21

1946年奈良県生まれ。'84年複合布絵®創設・商標権取得。'84・'85年奈良で個展。'86年オーストラリア・シドニー市JAPAN・WEEK招待出展。'87年奈良シルクロード博協会後援個展。'88年シルクロード博覧会場出展。'89年大阪・阪急美術画廊、'91・'92年東京・有楽町阪急、'92年新宿・伊勢丹美術工芸サロンにて各々個展。'93年8月〜'94年7月読売新聞・奈良版「複合布絵®の世界から」カラー連載12回。

ANNE COOK　22,23,24,25

布工芸とのつきあいは、自分の服に手の込んだ刺しゅうを施して飾りたてていた10代初めにさかのぼる。サンフランシスコのアカデミー・オブ・アート・カレッジで美術の学位を得て、パッケージ専門のグラフィック・デザイナーを目指す。パッケージの企画に参加して、針仕事の腕を振う機会もあった。1985年作品集をまとめ、それ以後、グラフィックデザイナー、イラストレーター、手芸家としての技術を組み合わせて、イラストレーションの世界で経歴を重ねている。この技術の組み合わせが大変満足いくものだとわかり、自分の好きなことをして、収入や賞を得られることを幸せに思っている。

くまざわのりこ　26,27,28,29

1965年東京生まれ。77年京都に移転。83年銅駝美術工芸高校図案科卒業。87年成安女子短期大学専攻科修了。86年JACA日本イラストレーション展銅賞。87年第8回日本グラフィック展佳作。89，92年鑑日本のイラストレーション入選。87年ギャラリービュウ、89年アトリエヌーボー、92年スペースユイ他個展・グループ展多数。88年イラストレーションNO.53、90年デザインの現場NO.44掲載。

倉石泰子　30,31

日本大学芸術学部卒業後海外向け日本産業映画の制作に携わる。その後家族の転勤でサンフランシスコ、ニューヨーク、コロラド等に住む。その間にアメリカ人家庭のやさしさ暖かさにふれ、その中に生き続けるパッチワーク、キルトに魅せられる。ニューヨーク時代その基礎をアン・フリメット女史より学び、現在ではミシンによるデザインのテクニック、またキルトウェア等の指導も行っている。

栗村一予　32,33
東京に生まれる。ドレスメーカー学院（デザイン科）、文化学院（デザイン科，美術科）卒業。クリエイティブ・ノア主宰。企業に，企画及びデザインの提案や，色出し・後進の指導にあたっている。'85年よりモダンアート展（都美術館）に出品，会友。グループ展・企画展・個展（銀座夢土画廊）等多数。'86年より，クラシックコンサートの企画にも参加し，色と音の総合表現をめざしている。

さか井みゆき　34,35,36,37,38,39
1965年大阪生まれ。成安女子短期大学造形芸術科卒業。同専攻科修了。1989年東京に移転。1994年後半はアメリカで暮らす予定。
non・no手芸賞グランプリ，日本グラフィック展協賛企業賞，毎日広告デザイン賞など受賞。"イラストレーション"誌「ザ・チョイス」（日比野克彦氏・選）入選。「HBギャラリー」（表参道）などで定期的に個展を開催。

桜井一恵　40,41,42,43
1948年生まれ。1977年スウェーデンのハンドアルベーティッツヴェンネルに留学。帰国後「アトリエKAZUE」を主宰。各出版社に作品を発表するかたわら個展を重ね1984年，87年には，スウェーデン，ストックホルムにて個展を開催。現在毎日手芸コンクール審査員，大妻女子大学講師，ヴォーグ学園講師をつとめる。著書「パステルステッチ」主婦と生活社刊，「ステッチ220」日本ヴォーグ社刊，「桜井一恵刺しゅう画集」アトリエKAZUE刊。

澤村眞理子　44,45,46,47,48,49
東京デザイナー学院エディトリアルデザイン科卒業。編集者，パッチワークキルト講師を経てフリーランス。以後，雑誌・広告等で作品を展開。1983年ジャノメシンカレンダー等，1985年SO-EN扉ページ1年間連載。1986年スペースYUIにて個展。文化出版局より「布とミシンの絵本」出版。MCシスター「アーティクル・ド・ファンタジー」1年間連載。プラスワン，雑貨カタログ，ミセス，大阪ガス，リクルートなど広告，雑誌等に活躍中。

澁谷正房　50,51,52,53,54,55
1943年横浜生まれ。'65多摩美術大学平面デザイン科卒。'75㈱グランパ創立。'82青画廊，電通ギャラリー，個展。日本T.V.「おしゃれ」「11PM」出品。月刊誌「WILL」表紙制作。'83U.S.A.N.Y.「ベレッタホフマンギャラリー」，「青画廊」個展。'84日本T.V.「美の世界」出演。EXPO85ガスパビリオン出品。'85少林寺カレンダー制作。'86TBS「朝のホットライン」出品出演。'87ギャラリー「オリーブ」個展。'88富士駅観光ポスター制作。電通ギャラリー，ギャラリー「WIZ」及村工芸ギャラリー，京阪百貨店個展。大阪朝日T.V.読売・サンケイ新聞紹介。LOOK WORLDポスター制作。'89横浜博YES'89個展。'90電通ギャラリー個展。'91オンワードギャラリー個展。茨木健康科学センター，オブジェ出品。'92ギャラリー「WIZ」個展。'93都民グリーンフェスティバルポスター制作。銀座「松屋」ギャラリー個展。

瀬原田純子　56,57,58,59
東京生まれ。女子美術大学芸術学部産業デザイン科卒業。繊維専門商社のデザイン室勤務を経て，1984年より1991年まで個展6回。1992年より，朝日新聞社「朝日家庭便利帳」，旭化成工業㈱住宅事業部会報誌の表紙を制作，続行中。

高橋早苗　60,61,62,63
1971年文化服装学院手芸専攻科卒。73年よりガブロム工房においてファブリックピクチャーを修学。81年より同工房で指導に当る。朝日カルチャー横浜でファブリックピクチャー講師を勤める。76年銀座サエグサ画廊でグループ展。83・85・87・91・93年京橋千疋屋ギャラリーで"森麗子と二人展"に参加。隔年にガブロム工房展に参加。

高橋穂津美　64
1989年にロンドン大学ゴールドスミスカレッジにてテキスタイルアートを学び帰国。後にグループ展，個展を中心に制作活動を行なう。
1989年個展・ギャラリー荘。1991年グループ展・テキスタイルアート展，宝塚。1992年グループ展・小さな窓の中の糸展Ⅱ，東京。1993年グループ展・クリエイターズギルド展，東京。1993年グループ展・ミニアチュール展，英国。

西沢啓子　65
1946年東京生まれ。特に専門的な学校には行っていない。小さい頃から人が持ってないような物を造るのが好きでした。オリジナルの本は2冊出版。
'83, '84年池袋西武ハビタ館にて"コットンでつくるクリスマス"個展。

董　蕾　66,67,68,69
中国江蘇省生まれ。蘇州美術専科大学洋画学部卒。1953～86年上海映画大学舞台美術学部講師及び上海映画製作所特殊撮影監督。「上影画報」編集委員。87年来日。88,89,92年ユザワヤ芸術学院創作大賞展の絵画部門で金賞受賞。89～91年東京学芸大学美術教育学科芸術学研究生。以来，安田火災ライフプラザ池袋，東京電力テプコプラザ千葉，銀座TAMAYA画廊などで個展11回。アジア現代美術展に3回入選。92年新洋画会展都美術館で大賞受賞。その他数々の賞も受賞し，新聞・テレビ・雑誌で絲彩画を紹介。

東田亜希　70,71
現代童画会会友，HBギャラリー作り手会員。
1967年ギリシャ・アテネ生まれ。慶應大学卒業。
講談社フェーマススクールズ・アートコンテスト学習研究社賞，丸善メルヘン絵はがきコンテスト金賞，現代童画展新人賞，EAUX展入選，ART BOXギャラリー公募展入選，イラストレーション・ニューウェーブ100人展出展，デザインの現場（美術出版社）作品掲載，さらば愛しきゴジラよ（読売新聞社）装画及び挿画。

富田千花子　72,73,74,75
大阪市生まれ。学校卒業後，大阪に於いてフリーで，デパートのディスプレイ，アドバタイジングのためのイラストレーションを手懸ける。1975年事務所設立。以後，イラストレーションと併せて，ミニコミ誌の編集及び新聞社，雑誌社などのライターなどを兼任。85～89年まではライターのみに従事。89年より，布帛を使用した3Dオブジェを創作。現在に至る。
個展，89, 91, 92年西武ロフト・スーボ。89, 90年銀座王子ペーパーにてグループ展。90年N.Y.マスターイーグルギャラリー。91年アメリカ3Dイラストレーターズ・アワード・ショー入選。90年講談社雑誌クォーク表紙担当。日本専売公社雑誌広告。小松製作所ポスター。日立ポスター用オブジェ。NHK "人間バンザイ"タイトル及びスタジオオブジェ。テレビ朝日にも出演。中央美術学園講師。

内藤こづえ　76,77,78,79
1958年静岡県沼津市生まれ。1982年東京芸術大学美術学部デザイン科視覚伝達デザイン卒業。1984年日本グラフィック展奨励賞受賞。1988年コスチュームアーティストとしての仕事をはじめる。1989年日本グラフィック展年間作家新人賞受賞。個展「DANCING」（1990年），「NAKEDNESS」（1991年），「PRESSURE」（1993年）。

永井泰子　80,81
1947年埼玉県生まれ。武蔵野美術短期大学卒業。セツ・モードセミナー卒業。児童書，雑誌，PR誌，カレンダー，CDカバーなどのイラスト，最近では創作絵本も手がける。1987年ワコール銀座アートスペースにてアクリル絵具による個展「森へ」。87,89年電通アドギャラリーにて布コラージュの個展。1992年ワコール銀座アートスペースにてアクリル絵具による個展「森へ―PARTⅡ」。

中村有希　82,83,84,85
1947年茨城県生まれ。女子美術短期大学造形科卒業。幼児月刊誌や保育雑誌の表紙，カレンダー，絵本などが主な仕事。日本児童出版美術家連盟会員。

奈良京子　86,87,88,89
1969年山脇服飾美術学院卒。1979年より青森市，弘前市，函館市，富山市にて個展開催。1989年よりミニコミ紙「ゆきのまち通信」表紙担当。（創刊より30号迄）。1994年3月，池袋西武にて個展。

JERRY PAVEY　90,91,92,93

米国政府をはじめ、ニューヨーク・アートディレクターズ・クラブ、ニューヨーク・イラストレーター協会、ワシントン・アートディレクターズ・クラブ、全米広告連盟ADDY'S, AIGAなどから200以上の賞を受賞。作品は、Graphis, Graphis Annual, Print, Print's Best Annual Reports In The USA, Communication Arts Annual, Print's Best Corporate Publicationsなどで発表。ニューヨーク・ミュージアム・オブ・アメリカン・イラストレーションの永久保存コレクションに収められ、アメリカ中の多数の団体や個人のコレクションにもなっている。原画や限定版のリトグラフは直接購入することができる。

林 喜美子　94,95,96,97,98,99

現代工芸美術家協会会員。仏サロン・ド・トンヌ6回入選。日展工芸部門7回入選。個展・東急本店、読売新聞主催年外13回。NHKニュースワイド・日本テレビ美の世界出演。1975年布絵研究所開設。読売日本テレビ文化センター講師。学研「布絵」、京都書院「布絵画集」出版。フリーデザイナーとして常盤商事、川辺KK外メーカーで活躍。現在KKセシールにてインテリア用品売出中。銀座まつりポスター。朝日新聞別冊表紙。大日本印刷等。

彦阪 泉　100,101,102,103

大阪生まれ。1976年よりキルティングアーティスト米倉健史氏のアシスタントとしてスタートし、技術開発に従事。1984年より花をテーマに創作を始める。
'88年西武池袋に於て企画展を開催後、米倉氏主宰のキルトアート工房のディレクターを努めながら作家活動に励む。個展及び二人展を重ね、カレンダー等に作品を発表。テキスタイルデザイン科卒。

福岡義之　104,105,106,107,108,109

1962年広島県生まれ。1987年多摩美術大学院修了。
1985年「ティッシュ・ペーパーズ」展。1986年「JELLY・BEANS」展。ONE・DAY・IN・N.Y.展。1988年DEAR・BABY展。1986年ソニープラザ・イン・プライベート・ダイレクトメール、1988より1993年セイコースーパーテニスオフィシャルプログラム、1990年TVBrosカレンダー、1993年SXLカタログetc。

藤永陽子　110,111,112,113

1980年より立体造形、ウインドウディスプレイ、CM等の演出物制作に携わる。現在、布を中心とした素材での演出物制作と共に、魚シリーズでの作家活動を行なう。
1991年ギャラリーエフェアギンザにて個展「魚達の空中回遊展」。
1992年セキスイギャラリー各10店舗による展開。㈱仙台アムスウインドウディスプレイ。
1993年㈱松木屋、所沢パルコにてディスプレイ。

藤野木綿子　114,115

1967年東京生まれ。21才の時、講談社フェーマススクールズの通信教育を受講。途中、紙粘土の立体作品や、ポスターカラーで描いたイラスト等を仕事で制作。フェーマススクールズ主催のアートコンテスト等で、入選株賞。卒業後、受講途中から制作している月刊紙「健康日本」の表紙を引き続き制作。1993年からグループ展「彩樹会」に参加し、プロのイラストレーターとしての活躍が著しくなるよう、現在、健闘中。

細井千佳　116,117

1969年東京生まれ。1992年ロンドン大学ゴールドスミスカレッジ、BAテキスタイル卒業。ニッティング&ステッチング展、アレキサンドラ城、ロンドン。1993年ロイヤル スクール オブ ニードルワーク オープン エキシビジョン、立体構成3位入賞。英国62グループ オブ テキスタイル アーティストの正会員になる。62グループ展「マテリアル ウェルス」バンクフィールド美術館、英国。
1994年個展、Gアートギャラリー、ギャラリー代々木、東京。

松井春子　118,119,120,121

長野県生まれ。文化学院美術科卒業後、グラフィックデザインの仕事のかたわら手描友禅染を学びその後きものの染も行なう。1980年よりフリーのイラストレーター。出版物、広告のイラストを広く手掛け、4年前から布のイラストで広告物のイラストを創る。日本児童出版美術家連盟会員。

箕浦有見子　122,123

1949年彦根市生まれ。1969年京都成安造形短期大学造型美術科絵画コース卒業。1977年講談社フェーマススクールズPコース、Cコース修了。並行してスウェーデンのフレミッシュ織、大型織機及絵織物を修得。織物工房CaLaCaLa開設。以後個展数回。1989年より毎年岐阜県美術館にて「手のわざ展」出展。現在、大垣女子短大テキスタイル科非常勤講師。

森 薫　124,125,126,127

パリ、グランドショミエール校にてデッサン、クロッキーを学ぶ。帰国後、サエグサ画廊にて個展(1977年)。その後、三幸ギャラリー、三山画廊、新宿文化センター、銀座リザ、六本木ハートランド、銀座プランタン読売サロン、ギャラリーWIZ、銀座二丁目メルサ等で個展を中心に発表。1993年FUKUIサムホール美術展に初出品、奨励賞受賞、第1回軽井沢ドローイングビエンナーレ展に出品。

森 麗子　128,129,130,131,132,133

お茶の水女子大学卒業。フレミッシュウィーピングをスウェーデンに学ぶ。文化服装学院で創作手芸を指導。退職後森麗子ガブロム工房をひらきファブリック・ピクチャーを開拓、研究、創作活動に入る。1973年より毎年個展、作品集で作品の発表。傍、工房及び朝日カルチャーセンター横浜でファブリック・ピクチャーの指導。
個展:文芸春秋画廊・和光ホール・ミキモトホール・千疋屋ギャラリー、海外の画廊、各百貨店etc。
著書出版社:木耳社・文化出版局・雄鶏社・啓佑社・講談社・集英社etc。

柳原一水　134,135,136,137

静岡県生まれ。武蔵野美術短期大学卒業。
1981・83年黄金の針展出品。86年第1回国民文化祭作品出品、神奈川県知事賞受賞。
88年第3回ニードルワーク日本展出品。京橋千疋屋ギャラリーにて個展、仏サロン・ド・トンヌ入選。日中友好、ニードルワーク北京展出品。90年第4回ニードルワーク日本展出品。90・92年日本橋高島屋にて個展。94年第1回華麗なるニードルアートの世界展出品。ミセス、ノンノ、クロワッサン他誌上にて作品を発表。

山田愛子　138,139,140,141

女子美術大学卒業。女子美術大学造形計画・同短期大学空間デザイン、実践女子短期大学非常勤講師。日本国際児童図書評議会会員。
主な仕事・雑誌NHK婦人百科巻頭作品連載(1992・4月～'93年3月)
著書:「赤い実」かど創房(1994,4創刊予定)、「野の花のノート」文化出版局。絵本「すてきなおくりもの」「しまちゃんとしましま」(シリーズ1,2,3)偕成社など。

米倉健史　142,143,144,145,146,147

1941年生まれ。'77年布によるイラストレーションを始める。'81年「神戸ポートピア'81」兵庫県館のためのタピストリー制作。'86年「キルトアート/風景を縫う」出版。キルトアート工房を設立。'88年版画を始める。「国際花と緑の博覧会」ポスター制作。キルトアートと版画新作展、大阪八番館画廊を機に作家活動に入る。～'93年函館、軽井沢、東京、大阪などに於いてキルティングアート展・版画展を開催、現在に至る。

作家住所録 ILLUSTRATOR'S ADDRESS

青木 和子　KAZUKO AOKI
〒270-01 千葉県流山市江戸川台西2-245
2-245 Edogawadai-nishi, Nagareyama-shi, Chiba 270-01
Tel&Fax：0471-54-3771

浦野 千鶴　CHIZURU URANO
〒356 埼玉県入間郡大井町亀久保780
780 Kamekubo, Oimachi, Iruma-gun, Saitama 356
Tel：0492-61-6168

遠藤 玲子　REIKO ENDO
〒232 神奈川県横浜市南区六ツ川1-292 ㈱グランパ
Grandppa Inc., 1-292 Mutsukawa, Minami-ku,
Yokohama-shi, Kanagawa 232
Tel：045-743-3662　Fax：045-743-3674

マーガレット カサック　MARGARET CUSACK
124 Hoyt Street in Boerum Hill,
Brooklyn, New York 11217-2215 USA
Tel&Fax：718-237-0145

川口 てるこ　TERUKO KAWAGUCHI
〒636 奈良県生駒郡平群町緑ヶ丘3-11-17
3-11-17 Midorigaoka, Heguricho, Ikoma-gun, Nara 636
Tel：07454-5-7860

アン クック　ANNE COOK
#96 Rollingwood Drive, San Rafael,
California 94901 USA
Tel：415-454-5799　Fax：415-454-0834

くまざわ のりこ　NORIKO KUMAZAWA
〒611 京都府宇治市五ヶ庄一番割53
53 1Banwari, 5Kasyo, Uji-shi, Kyoto 611
Tel&Fax：0774-31-8754

倉石 泰子　YASUKO KURAISHI
〒272 千葉県市川市国分2-4-13
2-4-13 Kokubun, Ichikawa-shi, Chiba 272
Tel&Fax：0473-71-4572

栗村 一予　KAZUYO KURIMURA
〒168 東京都杉並区宮前4-24-21
4-24-21 Miyamae, Suginami-ku, Tokyo 168
Tel：03-3334-6061　Fax：03-3334-8666

さか井 みゆき　MIYUKI SAKAI
東京在住（95年春まで渡米のため不在）
連絡先　〒573 大阪府枚方市山の上西町22-15
22-15 Nishi-machi, Yamanoue, Hirakata-shi, Osaka 573
Tel：0720-43-6243

桜井 一恵　KAZUE SAKURAI
〒272 千葉県市川市八幡5-6-29
5-6-29 Yawata, Ichikawa-shi, Chiba 272
Tel：0473-34-3742　Fax：0473-35-0816

澤村 眞理子　MARIKO SAWAMURA
〒275 千葉県習志野市谷津4-8, 4-713
4-713, 4-8 Yatsu, Narashino-shi, Chiba 275
Tel&Fax：0474-51-8581

澁谷 正房　MASAFUSA SHIBUYA
〒232 神奈川県横浜市南区六ツ川1-292 ㈱グランパ
Grandppa Inc., 1-292 Mutsukawa, Minami-ku,
Yokohama-shi, Kanagawa 232
Tel：045-743-3662　Fax：045-743-3674

瀬原田 純子　JUNKO SEHARADA
〒277 千葉県柏市北柏2-19-4
2-19-4 Kita-kashiwa, Kashiwa-shi, Chiba 277
Tel：0471-67-2016

高橋 早苗　SANAE TAKAHASHI
〒124 東京都葛飾区東立石4-43-11
4-43-11 Higashi-tateishi, Katsushika-ku, Tokyo 124
Tel：03-3691-3221

高橋 穂津美　HOZUMI TAKAHASHI
連絡先 〒153 東京都目黒区下目黒1-5-19
京王目黒マンション410 スペースウエノ
Space Ueno. #410, Keio Meguro Manshion 1-5-19
Shimomeguro, Meguro-ku, Tokyo 153
Tel：03-3490-8759　Fax：03-5496-9716

董 蕾　DONG LEI
〒112 東京都文京区大塚2-8-16
2-8-16 Otsuka, Bunkyo-ku, Tokyo 112
Tel&Fax：03-5976-2281

東田 亜希　AKI TODA
〒181 東京都三鷹市牟礼3-3-4
3-3-4 Mure, Mitaka-shi, Tokyo 181
Tel&Fax：0422-46-3712

富田 千花子　CHIKAKO TOMITA
〒168 東京都杉並区和泉2-9-8
2-9-8 Izumi, Suginami-ku, Tokyo 168
Tel：03-3322-5887　Fax：03-3322-5833

内藤 こづえ　KOZUE NAITO
連絡先　グラフィック社編集部宛

永井 泰子　YASUKO NAGAI
〒182 東京都調布市布田2-21-7-513
2-21-7-513 Fuda, Chofu-shi, Tokyo 182
Tel&Fax：0424-86-8692

中村 有希　YUKI NAKAMURA
〒180 東京都武蔵野市西久保3-24-6-104
3-24-6-104 Nishikubo, Musashino-shi, Tokyo 180
Fax：0422-55-8462

奈良 京子　KYOKO NARA
〒038 青森市石江岡部119-17
119-17 Ishieokabe, Aomori-shi, Aomori 038
Tel：0177-81-1857

西沢 啓子　KEIKO NISHIZAWA
〒214 神奈川県川崎市多摩区南生田4-24-15
4-24-15 Minamiikuta, Tama-ku, Kawasaki-shi,
Kanagawa 214
Tel：044-951-3533

ジェリィ ペイビィ　JERRY PAVEY
#9903 Markham Street Silver Spring,
Maryland 20901 USA
Tel&Fax：301-681-3377

林 喜美子　KIMIKO HAYASHI
〒195 東京都町田市山崎町1356 シーアイハイツF1106
林 喜美子 布絵研究所
#F1106, Shiiai Heights, 1356 Yamazaki-cho,
Machida-shi, Tokyo 195
Tel：0427-93-6982

彦阪 泉　IZUMI HIKOSAKA
〒562 大阪府箕面市船場東2-5-47 COM3号館2F
キルトアート工房
Quilt Art Kobo, 2F, Com 3-gokan, 2-5-47
Senbahigashi, Minoo-shi, Osaka 562
Tel&Fax：0727-28-5595

福岡 義之　YOSHIYUKI FUKUOKA
〒253 神奈川県茅ヶ崎市旭ヶ丘2-8
2-8 Asahigaoka, Chigasaki-shi, Kanagawa 253
Tel&Fax：0467-58-0848

藤永 陽子　YOKO FUJINAGA
〒228 神奈川県相模原市東林間2-9-1 サバーブ東林間403号
#403 Savoavu Higashirinkan, 2-9-1 Higashirinkan,
Sagamihara-shi, Kanagawa 228
Tel&Fax：0427-45-5472

藤野 木綿子　YUKO FUJINO
〒195 東京都町田市鶴川4-23-3
4-23-3 Tsurukawa, Machida-shi, Tokyo 195
Tel：0427-35-3627　Fax：0427-36-3701

細井 千佳　CHIKA HOSOI
連絡先 〒153 東京都目黒区下目黒1-5-19
京王目黒マンション410 スペースウエノ
Space Ueno #410, Keio Meguro Mansion, 1-5-19
Shimomeguro, Meguro-ku, Tokyo 153
Tel：03-3490-8759　Fax：03-5496-9716

松井 春子　HARUKO MATSUI
〒173 東京都板橋区小茂根4-24-17-201
4-24-17-201 Komone, Itabashi-ku, Tokyo 173
Tel&Fax：03-3958-9794

箕浦 有見子　YUMIKO MINOURA
〒502 岐阜県岐阜市西中島1365-4
1365-4 Nishinakajima, Gifu-shi, Gifu 502
Tel：0582-33-9092 or 33-5798　Fax：0582-73-7283

森 薫(長森絓子)
KAORU MORI(SUGAKO NAGAMORI)
〒160 東京都新宿区新宿1-3-8,902
902-1-3-8 Shinjuku, Shinjuku-ku, Tokyo 160
Tel：03-3352-1625

森 麗子　REIKO MORI
〒167 東京都杉並区南荻窪2-16-16
2-16-16 Minami-Ogikubo, Suginami-ku, Tokyo 167
Tel：03-3332-3497

柳原 一水　NAOMI YANAGIWARA
〒251 神奈川県藤沢市鵠沼花沢町3-15
3-15 Hanazawa-cho, Kugenuma, Fujisawa-shi,
Kanagawa 251
Tel：0466-25-6275

山田 愛子　AIKO YAMADA
〒206 東京都多摩市連光寺5-4-16
5-4-16 Renkoji, Tama-shi, Tokyo 206

米倉 健史　KENSHI YONEKURA
〒562 大阪府箕面市船場東2-5-47 COM3号館2F
キルトアート工房
Quilt Art Kobo, 2F, Com 3-gokan, 2-5-47
Senbahigashi, Minoo-shi, Osaka 562
Tel&Fax：0727-28-5595

ご協力くださいました38人の作家の先生方に心から御礼を申し
上げます。またそのほか多くのかたがたにもお力添えを賜りました。
合わせて感謝の意を表します。　　グラフィック社　編集部

布と糸で描くファブリックアート
Fabric and Needlework Illustration

1994年7月25日　初版第1刷発行

編　集　グラフィック社編集部

発行者　久世利郎

翻　訳　スコットブラウス

写　植　三和写真工芸株式会社

印刷所　錦明印刷株式会社

製本所　大口製本株式会社

発行所　株式会社グラフィック社
　　　　〒102 東京都千代田区九段北1-9-12
　　　　☎03-3263-4310

ISBN4-7661-0796-9 C3071